창덕궁 수강재 구들의 해체와 복원을 통해서 본

궁헐구들

판 인쇄 | 2018년 1월 10일
판 발행 | 2018년 1월 15일

지 은 이 | 김동하
펴 낸 곳 | 통나무흙구들
강원도 평창군 용평면 개천평길 37
홈페이지 | http://woodgoodeulhouse
이 메 일 | wind6865@naver.com
대표전화 | 033-334-6866, 010-2248-1994

기획 · 진행 | Design Home(02-336-0680)
편 집 장 | 한현주(Rewriting)
디 자 인 | 현은숙
사   진 | 이승무, 인성욱(아이잔상, 02-334-8620)

ⓒ 2017 통나무흙구들

값 25,000원

ISBN 979-11-961555-0-6 (03540)

문화 강국의 한 줄기를 염원하며…

　　인류의 발전은 가장 원초적인 의식주를 해결하고자 하는 데에서 출발합니다. 민족마다의 독창적인 문화는 곧 보편적 삶의 질을 향상시켜왔고 보다 더 나은 문화로 계승 발전해 오면서 선진문화강국의 입지를 굳혀 왔습니다.

　　의식주(衣食住) 문제 해결은 곧 과학문명의 발전과도 연결되며, 이러한 과정은 실질적으로 진보된 인류의 삶의 진화를 가져옵니다. 그중에서도 우리 민족의 주거문화는 매우 독창적이고 과학적이며 자연친화적인 주거문화라 말할 수 있습니다.

　　우리 민족의 자부심이자 자랑거리인 구들문화는 취사와 난방을 동시에 해결할 수 있는 주거문화(住居文化)의 중심적 얼굴이며, 우리나라 건국이념의 중요한 덕목(德目)인 홍익인간(弘益人間)의 인류애적(人類愛的) 철학이 있는 문화과학입니다.

　　그럼에도 2,000여 년 전 가야국의 담공선사(曇空禪師)에 의해 한번 불을 피워 100일간 난방을 하였다는 칠불사 아짜방(亞字房) 구들과 같은 과학문화가 조선왕조 후반기에는 몹쓸 설비로 취급되어 폐기해야 한다는 지경이 되기도 했습니다.

현재에도 구들문화의 실상은 크게 변하지 않았습니다. 대학교에 우리나라 전통건축을 가르치는 지도교수는커녕 구들문화로는 단 1학점도 취득할 수 없습니다. 전문적인 지식을 전하고 전통구들을 가르치는 교육제도가 없이 문화재 온돌 수리 기능 국가 자격시험을 진행하고 있는 형편입니다.

이처럼 안타깝고 답답한 현실 속에서 최초로 구들문화의 현장감을 고스란히 전할 수 있는 책자를 발간하게 된 것은 대단한 기쁨입니다. 몇몇 구들전문가들에 의하여 집행된 궁궐 구들의 수리 복원 전 과정을 개인의 노력으로 집대성하여 책자로 발간하게 되었음은 대단한 공력이 들어간 노력의 산물이라 하겠습니다.

구들작업을 하면서 늘 느끼는 감정을 소개하자면, 이 나라 강토에서 태어났다면 자랑스러운 우리의 문화역사에 한가지에라도 공헌하는 자세를 가져야만 문화민족으로의 자긍심을 키워 나가는 일이자 품격 있는 세상살이라는 것입니다.

이 책에서는 200여 년 전 만들어진 궁궐의 수준급 전통구들이란 어떤 것이며, 근래에 일어났던 구들방과 그 부속 설비인 연도와 굴뚝까지의 대표적인 숨은 이야기와 그 실상이 잘 드러나 있습니다. 전통 구들의 깊이 있는 해설과 사진을 통하여 우리 민족만이 가진 구들문화에 대한 독자 여러분의 안목은 한층 더 높아지리라 믿습니다.

(사)한국전통구들협회 회장 오 홍 식

수강재 구들의 해체와 복원을 통해서 본 궁궐 구들
조선의 숨길을 다시 잇다

창덕궁은 조선왕조시대에서 가장 오랜 기간 동안 국사를 논하던 궁궐로 경복궁, 창경궁과 함께 우리나라를 대표하는 3대 궁궐 중 하나로 꼽힌다. 때문에 역사적 가치야 말할 것도 없는 일이고 우리나라 국보로서의 품위와 국민의 정서와 품격을 대신하고 있다는 것에도 의심할 여지가 없다.

가벼운 산책 삼아 찾은 궁궐은 언제나 어떤 이유로든 가슴 한 켠이 뭉클할 정도로 진한 감성을 자극한다. 궁궐 곳곳이 어떤 쓰임새로 만들어졌는지, 깊고 깊은 구중궁궐에 어떤 사연을 간직하고 있는지 다 알 수는 없지만, 단지 궁궐이 갖는 그 자체만으로도 사람들의 마음을 차분하고 겸손하게 정화시켜 주는 장소임에 틀림없다. 이런 감동이 어찌 우리 국민들에게만 통할까. 우리나라를 찾는 수많은 외국인들도 우리들만큼은 아니더라도 아름다움을 간직한 우리나라 궁궐에서 고품격 감동을 받지 않을까하는 생각을 해본다.

궁궐이란 본래 한 민족의 삶과 역사, 정서와 문화 등을 함축적으로 볼 수 있는 곳이어서 자국민들이나 외국인들에게 특별함 그 이상의 감동을 전해 주는 곳이다. 그런 이유로 궁궐은 어느 나라를 가든 대표적인 여행지로 손꼽힌다.

우리 것에 대한 남다른 자긍심을 가진 구들장이인 필자에게 창덕궁 수강재 구들 복원작업을 의뢰를 받았을 때에는 실로 다 표현할 수 없을 정도로 벅차게 다가왔다.

그런 벅차오름도 잠시, 구들장이의 시선으로 바라 본 수강재 구들의 불길이 통하지 않고 있다는 사실을 아는 순간의 심정은 또 어땠을까. 답답하다 못해 화가 치밀어 올랐음에도 불구하고 수강재 구들이 필자에게 구들복원작업을 맡겨진 사실에 더 흥분을 감추기 어려웠다. 죽을 때까지 절대로 잊을 수 없는 감격스런 순간이며 그 엄청난 일을 여러 훌륭한 분들과 함께 할 수 있어서 다시 한 번 고맙고 진심으로 감사를 드리고 싶다.

어떤 이유로든 궁궐은 보존되어야 한다. 망가진 구들을 해체하고 다시 복원하여 우리 조선왕조의 역사를 다시 이어가는 작업을 몇날 며칠 동안 흥분된 마음으로 진행했다. 결코 쉬운 작업이 아니었고 고된 날의 연속이었지만 이 또한 쉽게 경험할 수 있는 일이 아니라는 생각에 작업 틈틈이 메모하고 정리하기 시작했다. 비록 이 책에서 우리나라 구들에 대해 전부 다 피력하지는 못하겠지만 현장에서 느낀 감정이 고스란히 녹여 낸 기록만으로도 후학들에게 많은 도움이 될 것이라 믿는다. 이는 필자 개인에게도 소중한 자산이며 구들장이로서의 사명감을 되짚어 볼 수 있는 시간을 갖게 되어 더욱더 뜻깊었다.

창덕궁에서 복원수리하게 된 구들방은 낙선재 일원의 수강재(壽康齋) 본채의 큰방과 작은방이다. '건강하게 오래 살다'라는 뜻을 지닌 수강재는 1785년에 지어졌고, 1848년 중수되었다. 최소한 200년 이상의 역사를 가진 이 건물은 대왕대비 순원왕후의 거처였으며, 고종의 막내딸인 덕혜옹주가 1989년까지 실제 거주한 건물이다. 따라서 생각보다 오래된 역사를 지닌 건물은 아니다. 그럼에도 구들에 불길이 막혀 있다는 사실이 놀라울 뿐이다. 단적으로 말하면 구들에 불길이 막혀 있는 것은 난방이 전혀 안 되고 있었다는 얘기다. 도대체 어떻게 관리가 되었으면 하는 생각으로 답답함이 치밀어 올라왔다. 대체 어떤 이유로, 어떤 과정을 거쳐서 이처럼 궁궐의 구들장이 꽉 막혀버렸는가?

그럼에도 지금부터라도 창덕궁 수강재의 구들 복원 공사를 시작할 수 있음에 감사한 마음이 앞선다. 이런 필자의 사사로운 감정은 접어두고 이미 수강재 구들에만 몰입하고 있는 필자를 발견한다. 왜 이런 지경이 되었는지에 대해서 지금 논의할 필요는 없다. 막혀 있는 수강재 구들을 해체하고 다시 복원하여 불길을 열어주는 일에만 매진해야 한다는 절실함만이 앞섰다.

　　보존 가치로서의 역할이 우선되어야 할 수강재가 아니었던가. 얼마 전 '덕혜옹주' 라는 영화가 상영된 덕에 요즘 젊은 세대들에게도 덕혜옹주는 낯선 인물은 아니게 되었다. 만일 근래 들어 영화가 상영되지 않았다면 수강재에서 마지막 조선의 옹주인 덕혜옹주가 살았었다는 사실을 얼마나 많은 사람들이 기억할 수 있었을까. 덕혜옹주는 우리와 동시대에서 함께 호흡했었다. 그런 그분의 거처였던 수강재를 복원 수리하는 작업은 또 하나의 궁궐역사를 만들어가는 일이다. 역사는 전혀 뜻하지 않는 과정을 거칠 수도 있지만 소중한 역사의 맥을 잇는 작업이라 생각하면 이 또한 과분한 과업으로 다가왔다. 그런 의미로 지금은 온기마저 사라진 수강재도 우리의 역사이자 우리 삶의 일부로 기억되어야 한다. 세월의 아픔을 간직한 채로 오롯이 그 자리를 지키고 있는 수강재에 따스한 온기를 다시 넣어준다면 수강재는 다시 깨어나 조선왕조의 생생한 역사를 전해 줄 것이며, 아름다운 전통과 문화에 대해 많은 이야기를 후손들에게 전해줄 것이라 믿는다.

　　거듭 강조하지만, 창덕궁 궁궐 구들을 다시 복원하는 작업은 필자 개인적으로도 국가적으로도 상당히 중요한 과업이며, 그 무엇과도 바꿀 수 없는 역사적인 요구라고 생각한다. 새롭게 무언가를 고치고 단장을 하면 이전에 느낄 수 없었던 새로운 모습을 우리에게 보여 줄 것이다. 하지만 안타깝게도 수강재 구들작업은 완성이 되더라도 아무 일도 없었다는 듯이 그 자리 그 모습 그대로 천연덕스럽게 숨어 있을 것이다. 하지만 막힘없이 흐르는 따뜻한 온기가 수강재 구들을 감싸고 나서 굴뚝으로 나오는 순간 수강재는 다시 깨어날 것이다. 그리고 하얀 연기로 자신의 존재를 당당히 보여 줄 것이다. 우아하고 힘찬 연기를 내뿜는 수강재 굴뚝의 소통처럼 궁궐의 역사는 다시 새롭게 이어가리라 믿는다.

　　어떤 일을 하던 가장 중요하게 생각되는 점은 그 순간순간이 얼마나 즐거웠느냐와 얼마나 기뻤는가에 달려있다. 이는 자신이 하고 있는 일에 대한 자긍심과 자부심으로 작업의 결실만큼 중요한 일이다. 또한 이처럼 좋은 일을 할 수 있는 분들과 함께 있었다는 사실에 더없이 감사드린다. 먼저 사단법인 한국전통구들협회 오홍식 협회장님과 협회 임원 분들 모두에게 감사의 인사를 드린다. 아울러 소중한 자료를 남길 수 있도록 도움을 주신 designhome과 사진을 담당한 studio아이잔상에도 감사를 드린다.

  책을 쓰면서 가장 우선으로 생각한 것은 구들장이의 시선에서 느끼는 200년 전의 우리나라 궁궐구들의 실상을 그대로 보여주는 것에 역점을 두었다. 200년 전 당시 최고 온돌편수가 돌아온다면 그는 과연 어떻게 수강재의 구들을 복원할까? 하는 생각을 해본다. 옳고 그름을 논의하자는 그런 이야기가 아니다. 단지 우리나라 국민들에게 구들장이가 전하는 수강재의 궁궐구들 복원 이야기를 하고 싶었고 전통구들에 대해서도 이야기 하고 싶었다. 현재는 다양한 구들과 현대적 감각을 적용한 다양한 구들문화가 널리 퍼져 있다. 그럼에도 우리 전통방식의 구들문화의 중요성, 그 중에서도 궁궐의 구들문화가 일반인들에게 관심으로 다가갈 수 있는 계기가 되어주길 간절히 바란다. 구들은 그 누구의 소유물이거나 특허대상이 아닌 수 천 년의 역사 속에 살아 숨 쉬는 우리 모두의 문화유산이자 우리 민족의 삶이다.

  마지막으로 수강재 구들복원을 하면서 정리한 자료와 글들을 통해 조금이나마 선배 온돌편수의 노하우가 후학들에게 전해지길 바라며, 앞으로 계속될 전통구들 현장에서도 도움이 되길 바란다. 아울러 우리나라 전통 구들을 그리워하는 현대인들에게도 많은 관심과 사랑의 깊이가 더해져 따뜻한 삶을 이어가는데 도움이 되길 바란다.

  구들장이는 창덕궁 담장 밖 세상과는 판이하게 다른 수강재 마루 한 켠에 앉아 생각에 잠긴다. 그리고 강원도 평창의 편안한 구들방에서 궁궐의 구들이야기를 써 내려간다. 창덕궁 수강재 구들 복원작업은 2016년 온통 궁궐 안이 예쁜 낙엽으로 덮여 갈 무렵 시작하여 첫 눈이 수강재를 수놓을 때 생명을 새롭게 부여받아 다시 태어났다.

2018년 1월

통나무흙구들학교장 김 동 하

CONTENTS

6   **추천사**
     문화강국의 한 줄기를 염원하며
8   **책을 펴내며…**
     조선의 숨길을 다시 잇다

1. 창덕궁 수강재

18   창덕궁 안의 낙선재, 석복헌 그리고 수강재
22   낙선재와 석복헌 그리고 수강재 권역의 구들현황
25   어떤 마음으로 수강재 구들을 복원했을까
28   창덕궁
29   왜 수리를 해야 할까

2. 문화재 궁궐구들 수리를 위한 해체

32   수강재 본채 구들방의 현 상황
40   해체 순서
49   복원 순서
50   수강재 구들방 복원 공사의 개요

3. 굴뚝과 연도

54   굴뚝의 규모
58   굴뚝의 단열
59   굴뚝의 외부 형태와 모양에 대해서
61   연기가 나가지 않는 상황에 대해서
66   굴뚝의 위치
69   살아난 수강재 굴뚝
70   연도의 해체 수리
74   연도 복원

4. 궁궐 함실아궁이

78 복원하기 전 아궁이 상황

80 큰방의 함실

84 작은방 함실

87 일반적인 함실의 크기와 구성

88 행랑채 함실아궁이

90 낙선재 구들방

5. 고래둑과 시근담

94 큰방 고래둑

100 작은방의 고래둑 복원

104 시근담

107 고래와 고래둑의 폭과 깊이

110 평평한 고래바닥과 경사가 있는 고래바닥

6. 고래개자리

114 큰방 고래개자리

118 작은방 고래개자리

121 개자리의 깊이와 연도구멍의 위치

123 줄고래에서 고래개자리의 크기와 위치

124 일반적인 고래개자리에 대한 다른 생각들

7. 구들장

128 구들장 해체

132 구들장 놓기

8. 부토와 황토미장

142 구들 방바닥의 근대 수리 흔적

144 부토와 초벌미장

146 시멘트 미장과 황토미장

148 황토 반죽

151 함실과 고래둑, 시근담을 만들 때의 황토 반죽

9. 구들방의 구조와 원리

156 구들방의 원리 (공기의 무게 변화를 중심으로)

158 공기 무게 변화의 시작 함실

160 고래, 고래둑 그리고 바람막이

161 개자리

162 연도와의 연결

163 습과의 싸움

163 연도

164 굴뚝

10. 차 한 잔을 마시며

170 현대와 조선시대를 오가는 듯한 느낌

172 누군가에게 우리나라 전통 구들을 보여주어야 한다면…

174 현대에 와서 구들을 다시 놓는 이유, 저온온수난방시스템과 전통구들

175 좋은 구들이란 어떤 것인가

178 조선시대 궁궐구들방과 현대 구들사랑방 만들기

181 조적하거나 구조를 만들 때는 황토를 많이 쓰지 말자

181 집 주변의 배수로와 굴뚝개자리의 배수로와 함실부분의 배수로

182 열기가 도망가는 것을 막자

183 전통구들호텔과 전통구들 템플스테이

186 전 세계적으로 알려 보자!
　　　우리민족의 5000천년 역사의 흔적 구들문화를…
188 히말라야 부탄왕국에 한국 전통 궁궐 구들방 만들기

11. 구들의 이름들

188 구들의 다른 이름들
189 구들방에 쓰이는 용어와 표현들

12. 구들의 시작과 끝(미래)에 대하여

198 한 장의 구들도면을 통해서 본 과거 구들의 역사
200 현재의 구들은
201 미래에 구들은 어떤 모습일까!

206 **책을 정리한 후에**
　　　구들 (온돌) 문화재 보수 및 복원

1 창덕궁 수강재

▌창덕궁 안의 낙선재, 석복헌 그리고 수강재

세계문화유산으로 등록된 궁궐, 얼마 전까지도 조선왕조가 사용했던 궁궐.

창덕궁은 612년 전 1405년에 세워진 조선의 궁궐이다. 수백 년의 세월을 거쳐 온 궁궐이기에 초기 모습 그대로 온전하지는 않지만, 오랜 중수과정을 걸쳐 오늘의 모습으로 우리 앞에 있다. 수많은 전쟁과 화재는 그렇다 치지만 우리 문화재 일체를 소멸시키기 위해 온갖 악랄한 짓을 일삼았던 일제 강점기를 보냈으니 조선의 궁궐 역시 시련의 시기를 피할 수 없었다. 궁궐 원래의 모습도 많이 변했을 뿐만 아니라 사라진 전각들도 수도 없이 많다. 그럼에도 우리나라 궁궐은 세계문화유산으로 등록되었다. 고된 역사 속에서도 그 모습을 지켜 온 궁궐은 가장 아름다운 우리 국민의 자산이요 자부심으로 보존된 우리의 유산이다.

창덕궁을 들어서면 동쪽이 낙선재 권역이다. 이곳은 세 영역으로 구성되어 있다. 서쪽으로 낙선재가 자리잡고 그 동쪽에는 낙선재와 건립시기기 비슷한 석복헌이 있으며 다시 동쪽으로 수강재가 있다. 수강재는 낙선재와 석복헌보다 훨씬 먼저 지어졌다. 낙선재는 헌종 1847년부터 1848년에 걸쳐 지어졌으며 수강재는 정조 9년(1785)에 지어졌고, 1848년 순원왕후의 거처로 중수하였다.

낙선재 권역이 조성된 데에는 헌종이 세자를 얻기 위해 새 부인과 결혼한 것과 관계가 있다. 당시 헌종은 18세의 나이로 왕위에 올랐다. 재위 3년에 왕비로 맞은 효현왕후 김씨는 헌종 재위 9년에 16세의 나이로 세상을 떠났다. 다음해 명헌왕후 홍씨를 계비로 맞이하고 3년 후에 경빈 김씨를 다시 후궁으로 들인다. 낙선재권역은 이때 지어진 전각들이다.

낙선재(樂善齋)는 '착한 일을 즐겁게 하는 집'이라는 뜻을 지닌다. 헌종은 이곳에서 경빈 김씨와 함께 책과 서화를 감상하거나 편안히 휴식을 취할 수 있는 공간으로 사용하였다. 낙선재 바로 옆에는 경빈 김씨의 처소 석복헌(錫福軒)을 지었다. 석복헌은 '복을 내리는 집'이라는 뜻을 지니며 여기서 복이란 왕세자를 의미한다. 그리고 석복헌 바로 옆에는 수강재(壽康齋)가 있다. 수강재는 대왕대비 순원왕후의 거처로 '장수와 강녕'을 의미한다. 이렇듯 낙선재와 석복헌과 수강재가 같이 있는 건 경빈 김씨로부터 왕세자를 생산하기 위함이며 대왕대비의 손부로서 그 역할을 다해야만 하는 의미를 담은 전각이다.

낙선재 본채의 전경.

낙선재는 궁궐이면서도 사치스러움을 경계하여 단청을 하지 않은 반면에 수강재는 단청을 한 흔적이 남아있다. 낙선재, 석복헌, 수강재는 함께 있으면서도 별도의 후원을 조성하여 담으로 구분하고 있지만 서로 드나들 수 있는 문을 만들었다. 또한 후원은 작은 동산을 계단식 석축으로 만들었으며 석축 사이에는 꽃나무를 심어 상량정(평원루), 한정당, 취운정이라는 각각의 정자를 별도로 조성해 놓았다.

육각형 모양의 상량정은 원래 이름이 평원루이며 낙선재의 정자다. 그 옆으로 둥근 모양의 만월문이 있는데 이 만월문을 통하면 경복궁의 주산으로 불리는 백악이 보인다. 한정당은 석복헌의 후원으로 일제강점기에 지어진 정자다. 때문에 창문이 유리로 되어 있다거나 흙벽을 사용하지 않거나 하는 방식으로 한옥의 형식에 다른 느낌을 많이 표현한 건물이다. 취운정은 수강재의 정자로 동쪽 끝에 있다. 취운정은 숙종 12년인 1686년에 지어진 건물로 낙선재 일원에서 가장 오래된 건물이다. 이곳은 특이하게도 정자이면서도 '구들'이 놓여 있다.

창덕궁의 낙선재, 석복헌, 수강재는 다른 전각들과 달리 근대까지 조선의 왕실 후손이 사용을 하였다. 1917년 대조전과 희정당이 화재로 소실되었을 때 순종이 낙선재를 임시거처로 사용하였으며, 영친왕의 비 이방자 여사가 1989년까지 사용을 하였고 고종의 막내딸 덕혜옹주는 수강재에서 생을 마감한 역사적 현장이기도 하다.

낙선재와 수강재 사이의 석복헌.

수강재 본채의 전경.

▋낙선재와 석복헌 그리고 수강재 권역의 구들현황

낙선재 권역에는 본채에 9개의 구들방과 행랑채에 16개의 구들방이 있다. 본채의 굴뚝은 모두 6개로 낙선재, 석복헌, 수강재가 각각 2개씩 나누어 있으며 행랑채에는 모두 12개의 굴뚝이 있다. 2016년 현재 낙선재 권역의 구들은 모두 함실아궁이가 있다. 하지만 부뚜막 아궁이는 하나도 없다. 행랑채의 구들방은 총 16개인데 함실은 13개다. 한 아궁이로 두 개의 방을 덥히는 방법을 취했음을 알 수 있다. 각 전각 본채의 굴뚝은 총 6개로 방은 9개이고, 함실아궁이 수는 12개로 하나의 굴뚝에 여러 방의 연도를 모아 연기를 내 보내는 구조로 만들어졌다. 본채의 연도는 모두 방마다 별도로 설치되었으며, 굴뚝에서 2~3개씩 합쳐진다. 연도 길이는 본채의 경우 7m~10m가 넘는다. 이에 반해 행랑채는 방과 굴뚝이 모두 붙어 있다.

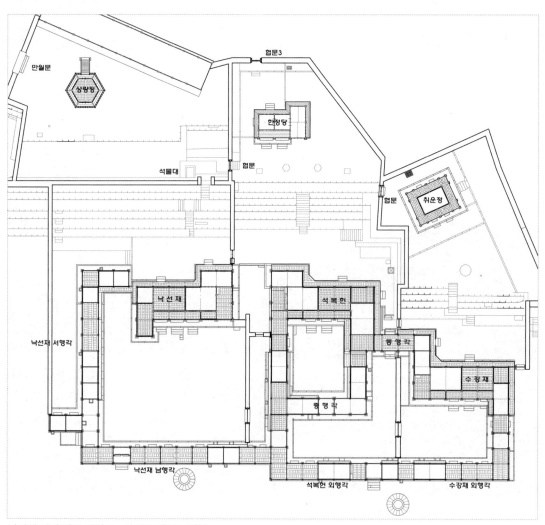

낙선재 일원 건물 배치도 : 창덕궁 관리소 제공

낙선재

본채 : 함실아궁이 4개(방 3개) + 굴뚝 2개
행랑 : 함실아궁이 6개(방 9개) + 굴뚝 6개

본채에서 오른쪽 두 번째와 세 번째가 안방에 해당된다. 뒤에 이어서 방이 붙어 있다. 대청마루를 건너 방이 하나 더 있다. 안방에는 함실이 두 개이며, 뒤에 있는 방에도 아궁이가 따로 있다. 대청마루 건너편 방에도 누마루 아래에 함실아궁이가 있다. 헌종이 사용하던 본채 침실은 방바닥에서 함실바닥까지의 높이가 1m를 훨씬 넘는다. 행랑채도 모두 함실아궁이지만 본채와는 달리 높이가 낮다. 방마다 함실이 있지만 왼쪽 세 개의 방은 한 아궁이로 세 개의 방을 모두 덥힌다. 행랑의 굴뚝은 모두 방에 붙어 있다.

석복헌

본채 : 함실아궁이 5개(방 3개) + 굴뚝 2개
행랑 : 함실아궁이 5개(방 5개) + 굴뚝 5개

본채 왼쪽에 안방이 있으며 그 뒤에 작은방이 붙어 있다. 대청마루 건너에도 방이 있다. 특이한 점은 본채의 경우 방의 크기에 비해 아궁이가 많다는 점이다. 굴뚝은 본채 뒤 기단 위에 만들어져 있다. 행랑채도 모두 함실아궁이다. 굴뚝은 모두 방과 붙어 있으며 본채에 비해 규모가 작다.

수강재

본채 : 함실아궁이 3개(방 3개) + 굴뚝 2개
행랑 : 함실아궁이 2개(방 2개) + 굴뚝 1개

본채에 세 개의 방이 있다. 왼쪽에 있는 방이 안방으로 보이고 안방 뒤에 작은방에 붙어 있고 대청마루 건너편에 작은방이 하나 더 있다. 모두 세 개의 함실아궁이가 있다. 굴뚝은 두 개로 안방과 건넌방의 연도가 모두 한 굴뚝으로 연결되어 있다. 두 개의 행랑채는 함실아궁이며, 굴뚝은 모두 방과 붙어 있다.

낙선재 권역에서 가장 오래된 건물 중 하나인 취운정이다. 1686년에 지어진 건물로 특이하게 구들이 놓여 있다.

▐어떤 마음으로 수강재 구들을 복원했을까

11월 15일. 한 낮에는 아직 덥다는 느낌이지만 아침에는 제법 찬 기운이 돈다. 수강재 구들복원 작업을 위하여 필자가 머물고 있는 평창에서 서울의 창덕궁으로 오는 동안 내내 마음이 어지럽다. 분명 나라를 위해서나 민족을 위해서나 개인을 위해서나 엄청난 구들복원작업이라는 과업을 짊어졌다는 것이 뿌듯하기 그지없고 자랑스러운 일이지만 한편으로는 정말 잘해야 한다는 각오와 부담감이 밀려드는 것도 사실이다.

구들 놓는 일에 관심을 가지기 시작한지 벌써 10년이 넘어가고 있다. 이 정도 경력이면 구들 놓는 일쯤은 그러려니 하면서 능숙하게 처리할 수 있을 거라 생각되는데, 아직도 매번 구들을 놓을 때마다 뭔지 모를 초기의 신선한 감정이 교차되곤 한다. 그도 그럴 것이 구들이란 본래 정성을 다하지 않으면 따스한 온기가 제대로 뿜어 나오질 않는다. 연륜이 쌓였다고 해서 쉽게 쓱싹쓱싹 해 버릴 수 있는 일이 절대 아니기 때문이다.

수강재 행랑 마루에 앉아 있는 구들장이들의 모습이다. 조선 궁궐의 구들에 온기를 채우려는 간절한 마음이 수강재를 달래고 있다.

창덕궁을 가 보자던 오홍식 협회 회장님의 말씀을 처음 들었을 때 필자의 감정을 솔직하게 말하면 "궁궐구들?" 하면서 다소 의아했었다. 그렇지만 이내 '궁궐구들'이라는 특화지역에 대한 설렘과 호기심이 필자의 열정을 깨어나게 했다. 그때부터 무심히 보던 전각과 방들이 다시 눈에 들어오기 시작했다. 물론 구들장이인지라 아궁이와 굴뚝에 대한 관심은 늘 있었지만 궁궐의 방을 수리해야 한다는 일이라니 심사숙고할 수밖에 없었다.

가장 먼저 떠오른 문제는, 궁궐이다 보니 작업이 그리 편하지는 않겠구나 하는 생각이었다. 어디 쉬운 일이 있을까마는 일반 현장에서 쓰는 편한 장비사용에 많은 제재가 있을 게 뻔 한 일이고, 어떻게든 작업과정에 많은 난관에 봉착하고 말 것이 뻔했다. 실제 둘러보니 건물 뒤 마당으로는 장비가 들어가기 불가능한 곳이 많아 보였다. 새로 신축하는 건물이야 당연히 장비로 먼저 작업을 해 놓고 진행하면 수월하겠지만, 이미 오래 전에 만들어진 구조를 복원해야 하는 것이니 먼저 그 상황을 파악하는 것이 우선 급선무였다. 그러려면 하나하나 뜯어서 그 상황을 파악해야 한다. 온전히 사람의 힘으로만 궁궐 구들돌의 엄청난 크기와 무게를 온전히 감당해야 한다. 조선시대 사람들은 당연히 사람의 힘만으로 해야 했지만, 지금은 어떻게든 사람의 힘을 덜 쓰려 고민한다.

굴뚝은 본채와 8m 이상 떨어져 뒤뜰 기단 위에 있으며 감나무 뿌리 아래로 연도가 지나간다. 나무는 나중에 심어진 것으로 보인다.

현장답사를 해 보니 필자의 짐작은 틀리지 않았다. 우선 첫 번째로 건물과 굴뚝간의 위치만 봐도 생각보다 훨씬 까다로운 작업이라는 게 짐작되었다. 건물 뒤 마당에 위치한 굴뚝은 기단 위에 만들어져 있고 방과의 거리는 대략 눈짐작으로도 8m 이상은 떨어져 있다. 더욱이 건물과 굴뚝 사이에는 빗물을 모으는 오수 맨홀이 있었다. 이건 분명히 근대에 들어와 설치한 구조물이다. 그 오수 맨홀을 보는 순간, 이것이 우리의 일을 더욱 더 힘들게 하겠구나 하는 생각이 들었다.

두 번째는 궁궐 안의 구들방이란 상징성이다. 다양한 형태의 구들을 놓아 보았지만 그래도 궁궐이란 단어 자체에서 오는 느낌은 책임감의 무게를 가중시킨다. 당연한 일 아닌가. 더구나 최근까지 실제 사용했었던 궁궐의 구들이다. 우리와 같은 동 시대 사람이 이런 집에서 살았다는 점은 매우 흥미로웠다. 21세기 서울의 한복판에서 아궁이에 불을 때는 곳이라니. 더구나 불과 얼마 전까지 조선의 마지막 옹주가 생활했다는 사실은 확실히 낯설다. 궁궐은 그저 관람만 가능한 문화재로만 생각하고 있었던 터라 더 그런 생각이 들었을 것이다.

수강재의 방은 다른 방들과는 조금 달라 보였다. 작은방은 함실의 위치로 보아 부채고래일 확률이 매우 높아 보였다. 폭이 좁은 대신에 방 길이는 꽤 길게 되어 있다. 도대체 이 방은 어떤 용도로 지었을까하는 의문이 들었다.

세 번째는 타임머신을 탄 느낌이었다. 처음 이 방의 구들을 놓은 구들장이들은 어떤 마음과 어떤 생각으로 이 구들방을 만들었을까. 특별한 자부심 없이 그저 또 구들을 놓는구나 하는 마음이었을까? 아니면, 지금의 필자처럼 궁궐의 구들을 놓는다는 자부심으로 했을까? 라는 다소 엉뚱한 궁금증이 일기도 했다. 그 당시에는 지금처럼 장비라든가 재료들이 다양하지 않았을 뿐만 아니라 쉽게 구하기도 어려웠을 것을 생각하니 구들장이로서의 고단함이 그들 몫까지 느껴진다.

지하철을 타고 안국역에서 내려 창덕궁으로 걸어가는 길은 서울의 중심부이고, 현대적 건물들과 많은 사람들로 북적 이는 장소이다. 하지만 창덕궁으로 들어오고 10분도 되지 않아 세상과는 동떨어진 아무 소리도 들리지 않는 조선시대로 온 이 느낌은 무엇일까. 담장 하나 사이로 세상은 너무 다르고 그 세월도 너무 다르게 흐르고 있다. 시끌시끌한 담장 밖 세상을 뒤로하고 수강재 대청마루에 앉아 기둥과 초석을 만져보며, 그 시절 처음으로 집을 짓기 위해 구들을 놓기 위해 나와 같은 자리에 서서 많은 생각을 했을 옛 장인들을 떠올려 본다.

▐ 창덕궁

우리나라 대표 문화 유적 창덕궁의 돈화문. 내국인은 물론 수많은 외국인이 찾는 곳으로 유명하다

창덕궁은 우리나라를 대표하는 문화재 중 하나로 많은 여행객들의 발길이 끊이지 않고 있다. 내국인보다는 외국인에게 더 인기가 있는 관광명소로 알려져 서울 관광의 필수 코스가 된지도 오래다. 실제로 필자가 수강재 구들작업을 하는 동안에도 수많은 외국인들이 창덕궁을 거닐고 있었다. 그러다 문득 호기심에 이끌려 관광객 틈에서 문화관광해설사의 설명을 경청한 적이 있다. 혹시나 구들에 관한 필자가 모르는 부분을 이야기해 주지 않을까 하는 기대감에서…. 언젠가는 해설사를 통해 우리 전통구들에 대한 이야기를 들을 수 있기를 간절히 기대해 본다.

대부분의 사람들은 화려한 궁궐의 외관에 눈길을 주지만 그 안에 숨겨진 우리 조상들의 마음과 의도는 잘 모르고 지나치는 것이 현실이다. 그래서 언젠가는 잘 보이지는 않지만 우리 조상들이 어떻게 추운 겨울을 따뜻하게 보낼 수 있었는지를 말해 주고 싶었다. 그런 이야기를 문화관광해설사들이 나서서 단순히 궁궐의 외형만을 보여주는 것이 아니라 그 속에 숨겨진 오천 년 역사의 우리 문화 이야기를 들려주기를 진심으로 바란다. 가능하다면 수강재 구들복원작업이 끝난 후에 그 앞에 구들의 원리와 그 의미를 설명하는 안내문을 설치한다면 더할 나위 없겠다.

▌왜 수리를 해야 할까

집의 가장 기본적인 조건은 비바람을 막아주는 일이며, 사람들로 하여금 원활한 일상생활을 할 수 있도록 안락한 공간을 제공하는 것이다. 우리나라처럼 4계절이 있는 경우라면 집의 역할은 더욱 더 다양해진다. 추위와 더위를 잘 견딜 수 있는 집 특히, 추위를 견디게 해주는 한옥에서의 구들은 집 자체에 온기를 넣어 주어 숨 쉬는 집, 살아 있는 집을 제공하게 한다. 아무리 근사한 집이라 할지라도 사람이 살지 않으면 금방 망가진다는 말이 있다. 이 말은 사람의 기운과 호흡하며 살아가는 집이라는 근본적 특성을 표현한 것이다.

궁궐을 누군가의 전유물로 만들 수는 없다. 궁궐은 우리 후손에게 넘겨줘야 할 우리 민족이 가진 찬란한 문화유산이다. 궁궐은 화려하고 웅장한 겉모습과 그 속에 숨어 있는 구들의 따뜻함까지 살아 있을 때 제 구실에 충실하다 하겠다. 단지 관람용으로써가 아니라 실제로 사람의 온기를 간직할 수 있는 구들의 온기를 사람들에게 전해져야 한다. 궁궐구들에 불길을 터 줌으로써 다시 살아난 궁궐의 구들방을 더 많은 사람들에게 보여 주고 싶다. 그래야만 세계문화유산으로써의 당당한 면모를 지켜나갈 것이다.

수강재 본채의 굴뚝으로 수리 후 연기가 나가는 모습. 이제 긴 잠에서 깨어날 준비를 하고 있다.

29

2

문화재 궁궐구들
수리를 위한 해체

▎수강재 본채 구들방의 현 상황

구들의 특성상 잘 지어진 한옥의 형태만 봐서는 구들이 어떤 형태로 묻혔는지를 파악하기란 쉽지 않다. 그렇다고 구들을 놓을 때 따로 자료를 남겨 놓는 경우가 드물기 때문에 보이는 대로만 기억할 뿐 세세한 구들의 형태는 짐작하기 어렵다. 설사 구들을 수리한다 해도 다시 땅 속에 묻히기 때문에 실제 작업을 했던 구들장이가 아니라면 그 구들에 대해서 자세히 알기란 어려운 일이다.

구들을 해체하고 수리 복원을 해야 할 때 가장 우선이 되어야 하는 일은 그 구들을 살릴 수 있는지를 점검하는 것이 아닐까 싶다. 구체적인 점검사항에서 첫 번째는 방바닥의 형태이다. 만일 두꺼운 시멘트로 근대에 와서 수리가 되었다면 그 밑에 있을 구들장은 거의 복원하기 어렵다고 봐야 한다.

두 번째는 바깥에서 육안으로 확인이 가능한 함실이다. 이맛돌과 함실장이 완전히 망가졌다면 복원할 때 필요한 대부분의 자재를 외부에서 가져와야 하는 문제가 발생한다. 세 번째는 연기가 나가야 할 굴뚝이 없다면 복원이 아닌 새로운 구조물을 만들어야 한다. 굴뚝은 존재하는데 방에서부터 굴뚝까지 연결해 주는 연도가 없다면 새로 만들어주거나 수리해야 한다.

수강재 구들복원 작업에 앞서 가장 먼저 확인한 것은 세 번째 조건이었다. 연기가 굴뚝으로 나가는지 혹은 연도가 막혀 아궁이로 연기가 나오는지 확인하는 작업은 구들방의 가장 기초적이면서 중요한 부분이기 때문이다.

수강재 구들방에 불을 지펴보았지만 모든 이의 기대를 저버리고 연기는 굴뚝으로 나오질 않았다.

수강재 본채 작은방의 상황을 평가하고자 불을 피웠다. 굴뚝으로 나오지 않고 전각 사방으로 연기가 퍼져 나왔다.

수강재 본채 안방의 시멘트 미장 마감 해체 – 이 상황으로 미루어 근대에 구들방을 수리한 것으로 판단된다.

연기의 그림자조차도 볼 수 없었다. 굴뚝으로 나와야 할 연기는 고막이 사이로 나오기 시작했고 전각은 금세 연기 속에 파묻혀 마치 불이라도 난 듯한 형세였다. 예상은 어느 정도 했지만 이 정도 일거라고는 상상도 못했던 터라 실망감이 무척이나 컸다.

구들에서 굴뚝으로 연기가 나가지 않는 이유는 다양하다. 하지만 궁궐이라는 특별한 상황 탓에 문제점을 짐작하기가 어려웠을 뿐 아니라 상식 밖의 엉뚱한 일이 있을 것이라고는 상상도 할 수 없었다. 우선 복원팀은 우리가 추측할 수 있는 여러 상황을 제시해보기로 했다.

첫째, 굴뚝이 막혀 있다. 즉, 굴뚝 자체가 모형으로 나중에 만들어지지 않았을까?
둘째, 굴뚝과 연도의 연결에 문제가 있거나 막혔을 가능성이 있지 않을까?
셋째, 연도 자체가 없거나 연도가 유실되지 않았을까?
넷째, 연도와 개자리 연결에 문제가 있지 않을까?
다섯째, 개자리에서 굴뚝으로 연결되는 입구가 막힌 것은 아닐까?
여섯째, 바람막이 부분과 고래둑 유실로 연기가 나갈 수 없는 상황이 아닐까?

수강재 뒤뜰에 위치한 굴뚝으로 두 번째 기단 위에 만들어져 있다. 아래와 단절된 상태로 나중에 복원된 것으로 판단된다.

복원팀은 여섯 가지의 상황을 제시해 놓고 한 가지씩 그 원인을 찾아보기로 했다. 굴뚝의 상태가 좋아 보여서 굴뚝에 문제가 있다고는 생각지 않았음에도 굴뚝을 먼저 살펴보기 시작했다. 연가를 들어 올리고 굴뚝 안을 살펴보면 대략 알 수 있는 간단한 작업이었다. 연가가 두 개였다. 연가 아래로 두 개의 구멍도 보였다. 구멍이 있다는 것은 굴뚝의 역할을 했다는 뜻이다. 하지만 그 안도감은 그리 오래가지 않았다. 추와 내시경 카메라로 살펴본 굴뚝 아래는 막혀 있었다. 기단 1단까지는 뚫려 있었지만 마지막 1단이 문제였다.

그렇다면 연도는 어디까지 있을까. 이 굴뚝이 원래의 굴뚝이었는지, 아님 다른 곳에 있는 것을 이 위치로 가져 온 것인지 갑자기 복잡해졌다. 갖가지 추측을 하기 시작했다. 먼저 굴뚝이 원래 이 위치였다는 판단을 하고 바로 아래까지 연결되어 있을 연도를 확인하기 위해서 그 밑을 파기 시작했다. 다행이 연도는 바로 아래에 있었다. 하지만 연도와 굴뚝은 연결되어 있지 않았다. 더 실망스러운 것은 함실에서 피운 연기가 굴뚝아래까지도 오질 않는다는 것이다. 즉 모든 구간에 문제가 있다는 사실이 판명된 셈이다. 도저히 믿고 싶지 않은 일이 실제로 벌어진 것이다. 궁궐의

수강재 안방의 굴뚝 내부를 모니터하는 장면. 기단하나 아래까지는 뚫려 있으나 더 밑으로는 연결이 안 된 상황이다.

구들방을 다 파내야 하는 지경에 이른 것이다.

연도가 설치된 모든 구간을 삽으로 파기 시작했다. 동시에 방에서는 방바닥을 해체하기 시작했다. 두 방의 개자리가 어디이고 개자리에서 연도가 어느 방향으로 향하는지를 알아야만 굴뚝에서 방으로 가는 방향을 정확히 잡을 수 있기 때문이다. 먼저 개자리의 위치를 파악하기로 했다.

작은방의 경우, 폭이 좁고 긴 방이어서 아마도 개자리가 함실의 대각 반대편에 있을 거라고 예상했다. 물론 예상과 약간 다른 면도 있었다. 오랜 기다림 끝에 모습을 당당히 드러낸 부채 고래는 한 면의 고래를 깊게 해서 개자리의 역할도 하게 만들어져 있었다. 개자리에는 연도가 두 개가 있었다. 양쪽 끝에 연도로 이어지는 통로가 두 개다. 그렇다면 바깥에 방과 굴뚝을 연결하는 연도도 두 개라는 뜻이다.

큰방의 개자리는 함실 반대편에 놓여 있었다. 전형적인 줄고래 형태이며 개자리의 한 쪽 끝에 연도로 이어지는 통로가 있었다. 연도는 앞으로 2.5m 전진하고 기역자로 꺾여 굴뚝을 향해 있었다. 또다시 난관에 봉착하고 말았다. 여기에 또 다른 문제점이 숨어 있었다.

두 방의 연도를 찾기 위해 하나하나 흙을 걷어 내고 있다.

큰방 개자리의 연도구멍 반대편이 너무 깊게 아래를 향하고 있었다. 처음에는 대수롭지 않게 생각했으나 이상하다는 의구심이 들어 확인해 볼 겸 줄자를 약간의 틈 사이로 넣어 보았다. 줄자가 계속 들어간다. 깊이깊이. 줄자는 2.5m를 들어가고 서야 멈추었다. 또 다른 연도가 있다는 뜻이다. 이 방 또한 연도가 두 개였다.

큰방 고래개자리의 연도 구멍을 측정하고 있다.

연도 해체 장면. 연도 중 하나는 벽돌로 쌓아 만들었으며 흙이 무너져 내려 많이 막혀 있는 상황이다.

▋해체 순서

먼저 불을 피워 방의 상태를 파악한 후 해체의 순서를 정하기로 했다.

1. 관솔가지를 이용하여 최대한 연기가 잘 나게 불을 피운다.

수강재 작은방에 불을 피우자 굴뚝으로 연기가 나오지 않고 집주변이 온통 연기로 감싸였다.

2. 두 개의 연가에서 각자 연기가 나오는지 연기의 흐름을 파악한다.

수강재 큰방에서 불을 피웠는데 작은방의 개자리로 연기가 나오고 있다.

3. 연기가 나오지 않는다면 그 원인이 무엇인지 파악한다.

4. 정확한 원인을 파악하기 위해 굴뚝·연도·개자리·고래·함실 순으로 점검한다.

5. 원인을 파악 한 후 두 팀으로 나누어 수리가 필요한 부분을 해체한다.

6. 굴뚝의 연가 아래로 연통부분이 잘 구성되었는지 파악한 후 구멍을 잘 만들어준다.

7. 연도

- 굴뚝과 연도가 잘 연결되었는지 파악한 후 안 되어 있다면 연결한다.

- 굴뚝과 방을 연결하는 전체 구간에서 손실되거나 막힌 곳이 없는지 점검 후 수리한다.

- 기단부분부터 방의 개자리까지의 연도가 막혀있는지 불을 피워 확인한다.

배수로 배관이 지나가면서 연도를 모두 막고 있다. 시멘트 관로 등을 볼 때 현대에 수리하면서 발생한 것으로 추정된다.

8. 방바닥

- 장판지를 걷어내고 부토와 마감미장을 걷어낸다.
- 보양작업을 통해 주변 벽이 손상되지 않도록 한다.

큰방의 고래개자리에 들어가서 근대에 수리한 시멘트 바닥을 걷어내고 있다. 사람의 허리 이상의 높이로 구들장이 놓인 것을 보고 고래개자리의 깊이를 가늠할 수 있다.

구들장 위를 시멘트로 미장한 상황이다. 다행히 그 두께가 30mm 정도였고 구들돌에 흙이 묻어 있는 상태로 미장한 덕에 걷어내는데 큰 어려움은 없었다. 최근에 수리한 것으로 보인다.

창덕궁 구들의 해체와 복원

이 사진이 의미하는 바는 고래개자리의 깊이이다. 줄자의 높이가 1050mm를 가리키고 있다. 구들장까지의 높이이다. 따라서 부토와 마감미장을 고려한다면 고래개자리 바닥에서 방바닥 마감까지는 최소한 1100mm이다. 사진의 오른쪽 작은 구멍이 고래 끝의 고래개자리와 만나는 부분으로 구멍이 작아 보이는 것은 바람막이로 막았기 때문이다. 일반 서민들의 집에서 발견되는 고래개자리의 작은 도랑 수준이 아니다.

9. 부토는 다시 쓸 경우를 생각해서 마대자루에 담아 보관한다.

10. 구들장의 새침용 돌 중 보관할 자재는 마대자루에 담아 보관한다.

구들장과 구들장 사이를 막을 때 사용된 와편 조각들이다. 아름다운 문양이 신비롭다.

작은방의 새침 돌을 빼내면서 아주 천천히 구들장 위의 흙을 걷어내고 있다.

11. 구들장

- 구들장의 가로 세로 1m 간격으로 실을 띄우고 구들장 위에 표시를 해서 그 위치를 정확히 파악한다.
- 구들장 한 장 한 장의 크기를 기록하고 위치를 파악한다.
- 해체된 구들장은 마당에 임시 보관하되 복원 시 문제가 발생하지 않도록 바닥에 깔개를 깔아 비를 맞지 않도록 보관한다.

큰방의 부토흙과 새침 한 돌을 걷어내고 구들장이 놓인 상태다. 구들장 위의 번호는 다시 복원할 때 위치를 잡기 위함이다.

대청마루 건너의 작은방 구들장 모습이다. 함실장까지 28장의 화강암 방돌이 사용되었다.

구들장 한 장을 걷어내자 고래둑과 고래가 보이기 시작한다. 흙이 많이 무너져 고래를 막고 있다.

작은방의 마지막 구들장을 걷어내기 직전의 모습이다. 방문 앞의 구들장으로 두 면은 시근담에 걸쳐 있고 고래둑 위에 전돌로 구들장을 받치고 있는 상황이다. 전돌 한 장으로 절묘하게 구들장을 지탱하고 있다.

12. 고래와 고래둑

- 고래 사이로 무너져 내린 흙은 조심스럽게 걷어낸다.
- 최초의 고래바닥의 깊이는 고래둑 맨 아래 칸을 기준으로 삼는다.

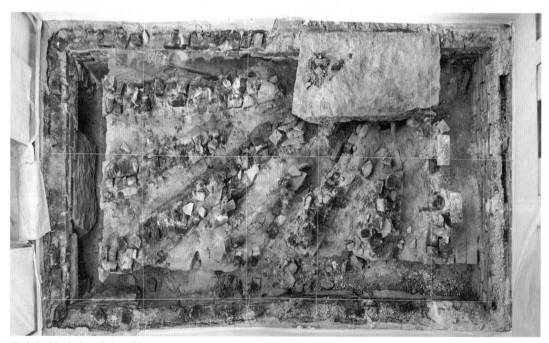

큰방과 작은방의 고래와 고래둑. 구들장을 걷어내고 나니 아름다운 부채고래가 보인다.

큰방의 구들장을 걷어내자 함실장, 고래둑과 고래개자리가 보인다.

13. 시근담

•무너져 내린 흙을 제거해 시근담의 원형을 찾는다.

14. 개자리

•파손된 부분만 보수를 하며 개자리에 떨어진 흙과 이물질은 모두 제거한다.

15. 함실

•최대한 원형을 유지하도록 한다.

작은방의 함실장이다. 그 크기가 다른 구들장에 비해 4배 이상이다. 시근담과 굄돌에 튼튼하게 자리를 잡고 있어 특별히 수리를 필요로 하지 않는다.

▌복원 순서

문화재 구들작업의 전제조건은 당연히 불을 피워 사용할 수 있느냐이다. 따뜻하거나 연기를 잡거나 하는 문제는 다음 문제이며 굴뚝과 연도를 살릴 수 있다는 전제조건이 있어야 한다. 복원 순서는 다음과 같다.

1. 기단에 굴뚝과 연결되는 통로를 만든다. 통로는 자연석과 전돌을 이용하여 만들어주고 황토와 모래로 그 틈을 막아준다. 통로를 통해 연기가 굴뚝 연가로 통하는 것을 확인한다.
2. 개자리에서 굴뚝 아래 기단까지 연도가 제 기능을 하도록 수리한다. 무너진 흙은 걷어내고 폭과 깊이를 원형으로 복원한다.
3. 손실된 시근담이 있다면 기존의 전돌과 와편을 이용하여 복원한다. 시근담의 높이는 기존 방바닥의 마감선을 고려하여 전체적으로 높이를 맞춘다.
4. 무너진 흙을 정리하여 원형의 고래바닥과 형태를 찾는다.
5. 고래둑 해체 시 나온 전돌과 와편을 이용하여 만든다. 높이는 전체적으로 시근담의 높이와 맞춘다.
6. 구들장을 덮는다. 전체적으로 구들장을 놓아 본 후에 위치를 먼저 잡고 함실장 주변부터 덮는다.
7. 새침 작업을 하고 거미줄 치기를 한다.
8. 연도와 굴뚝을 연결한다.
9. 불을 피워 연기가 잘 빠지는지 확인한다.
10. 연기가 새는 곳을 거미줄 치기로 보수한다.
11. 마감미장 30~40mm 여유를 두고 부토와 초벌미장을 한다. 초벌미장은 황토와 모래로 한다.
12. 황토와 모래를 이용하여 마감미장을 한다.

수강재 구들방 복원 공사의 개요

1. 구들방의 규모
- 큰방: 4700mm×3720mm
- 작은방: 4730mm×2200mm

2. 연도와 굴뚝
- 연도: 약 7000mm~1000mm 길이로 총 4개 파손 부위는 수선 후 연기 통로 확보
- 굴뚝: 1단 기단까지의 1m 통로 확보 후 연도와 연결

3. 내부 수리
- 함실: 파손된 부분 수리
- 시근담과 개자리: 원형의 높이로 복원
- 고래둑: 시근담과 높이를 맞추어 복원
- 방바닥 마감: 시멘트미장 철거 후 황토미장으로 복원

4. 공사 재료
- 황토와 모래는 새 것으로 사용
- 전돌과 구들장은 최대한 기존의 자재를 활용

3 굴뚝과 연도

● ● ●

　　　우리나라의 굴뚝은 기능적으로 상당히 중요한 역할을 담당하고 있으며 그 생김새마다 독특한 아름다움을 지니고 있다.

▌굴뚝의 규모

우리나라 구들방을 보면 굴뚝이 굉장히 크기도 하고 나지막하기도 하고 아예 없는 경우도 있다. 가난한 서민들의 집 굴뚝은 대부분 아주 작아서 항아리 하나를 얹혀놓은 경우도 많고 1m 내외의 토관을 하나 올려놓은 경우도 많다. 작은 굴뚝의 경우 흙, 항아리, 돌, 나무, 기와, 벽돌 등의 다양한 소재로 만들었다.

작은 굴뚝의 경우 대부분 1m 내외이거나 사람의 키를 넘지 않는 경우가 많다. 방의 크기와 연관되는 부분이다. 서민들이 살던 집은 협소하여 방도 작고 집과 굴뚝과의 거리도 멀지 않게 가까이 설치한 경우가 대부분이다. 하지만 작은방이라도 굴뚝을 높이 만드는 경우가 있다. 연기가 처마 밑을 타고 집 안으로 들어오는 것을 막기 위해서 처마 끝보다 살짝 높게 만들어주기도 한다.

굴뚝은 집 벽과 붙어 있거나 떨어져 있으며 그 높이도 다양하다. 집 벽과 붙어서 설치된 굴뚝은 규모가 크지 않은 반면에 한 쪽 면을 집 벽에 기대어 만들었기 때문에 안정적이다. 처마 밑에서 지붕을 관통하고 위로 올라간 이러한 굴뚝은 아래는 벽에 기대어져 있고 위는 지붕과 연결되어 안정감을 준다. 작거나 크거나 모두 굴뚝은 어느 정도의 단열성능을 가져야 하므로 일정한 두께를

창덕궁 청향각 옆 키가 큰 굴뚝이다. 색감과 굴뚝 외벽의 문양이 참 아름답다. 네 면에 화조·토끼·괴석·국화 등 다양한 문양이 시문되어 있다. 이 굴뚝 장식에서 흥미로운 것은 용과 봉황을 이미지가 아닌 글자로써 표현해 놓았다는 점이다. 문자는 회(回) 문양으로 둘러싸여 있고 동식물 문양은 모서리에 박쥐를 포함한 당초 문양으로 둘러싸여 있다.

수강재 옆 석복헌 뒤의 굴뚝이다. 방과의 거리가 8m 정도 떨어져 있으며 연가의 수량으로 보아 세 개의 방의 연기를 내보내는 역할을 한다. 나지막이 높지 않게 만들어 진 굴뚝의 문양이 참 아름답다.

왼쪽은 수강재 행랑채의 구들방 굴뚝이다. 한쪽을 벽에 기대어 만들어져 있으며 지붕 위로 연가가 올라와 있다. 오른쪽은 석복헌의 행랑채 굴뚝이다.

유지한다. 집 벽과 붙은 굴뚝은 어느 정도 단열이 확보 되므로 그 크기에도 영향을 받지 않았을까 생각된다.

하지만 굴뚝이 구들방의 벽과 일단 떨어지게 되면 상황은 다르다. 굴뚝은 자기 스스로 독립된 구조물로써의 위치를 부여받기 때문에 아무리 작더라도 반드시 기초부분을 고려하여 만들어야 한다. 바람에 흔들려서도 큰 비에 지반이 약해져 흔들려도 안 되기 때문이다. 굴뚝 아래의 굴뚝개자리에 물이 고이게 되면 주변의 지반이 약해지는 현상이 생길 수도 있다. 굴뚝개자리 깊이가 1m 정도인 경우도 있지만 더 깊은 경우도 있다. 그 안에 주변의 물이 몰릴 경우도 있고 비가 스며들어 가득 차면 연기가 잘 나가지 않게 된다는 점을 반드시 염두 해야 한다.

작은 굴뚝인데 높이가 처마위로 올라가는 경우에 반드시 기초부분을 튼튼하게 하고 난 후에 높이 올려야 한다. 굴뚝기초 작업 시 굴뚝개자리를 만든다면 굴뚝개자리에 고이는 목초액을 꺼내거나 목초액이 고이지 않게 하는 방법을 고려해서 만들어 주어야 한다.

Changdeokgung Palace Korean Heating System, Gudeul

굴뚝의 단열

굴뚝이 왜 이렇게 두툼할까라는 생각이 드는 경우가 있는데, 거꾸로 생각해보면 작아지기에는 한계가 있다는 걸 금방 알 수 있다. 안에 연기가 올라가는 크기는 보통 지름 200mm 정도이다. 벽돌로 만들다보면 벽돌의 두께가 있으므로 가로 세로 600mm 정도의 크기가 나온다. 그런데 굴뚝 하나가 두 개 방의 연도를 받아 연기를 내 보내야 한다면 더욱 커진다. 굴뚝의 단열을 생각해서 안쪽을 벽돌로 만들고 외부 역시 벽돌로 만들거나 기와를 이용해서 만들어주게 되므로 굴뚝의 크기는 커질 수밖에 없다.

우리나라는 사계절이 있는 나라이다. 구들방은 추운 겨울이 아니더라도 찬 기운이 느껴지면 계절에 관계없이 불을 지핀다. 따라서 굴뚝 안의 온도가 외부의 온도보다는 조금이라도 높게 된다. 만일 굴뚝에 단열이 안 되면 온도 차에 따라 결로도 생길 것이고, 온도 차에 따른 기압차도 생길뿐 아니라 연기가 잘 나가질 않을 수도 있다. 굴뚝의 단열을 위해 예전에는 흙과 돌을 이용했고, 안과 밖으로 벽돌과 와편을 주로 활용하여 만들었다.

수강재 굴뚝의 연가이다. 수리 후 굴뚝의 기능을 잘 수행하고 있다.

굴뚝의 외부 형태와 모양에 대해서

굴뚝의 기능을 단적으로 표현하자면 연기를 내 보내는 장치라고 할 수 있다. 하지만 굴뚝을 기능적으로만 설명할 수 없는 것이 궁궐의 굴뚝을 보면 그냥 연기가 나가는 통로라고만 볼 수 없을 만큼 그 자태가 너무 아름다워서다. 굴뚝 자체만으로 완성도가 출중한 건축물이라고 해도 전혀 손색이 없다는 느낌이 꼭 필자만 갖는 게 아닐 거라 믿고 싶다. 굴뚝도 집과 같이 기초가 있듯이 보통 전돌로 벽을 만든다. 벽 중간에는 사군자와 다양한 문양을 도자기처럼 구워 치장을 한다. 연기가 나오는 구멍이 있고 그 위를 다양한 모양의 지붕을 만들어 얹으며, 주로 기와지붕으로 하고 그 아래는 돌을 깎아 서까래와 같은 모양을 만들어 치장을 한다.

전돌이 아닌 경우에는 기와를 이용하여 만들기도 하는데 기와를 잘라 기와와 기와 사이에 황토를 넣어주어 차곡차곡 쌓아간다. 물론 안쪽에는 벽돌을 이용하여 굴뚝의 모양을 잡아주고, 맨 위는 2면 혹은 4면에 연기구멍을 만들어주기도 한다.

굴뚝의 높이는 위치와 상황을 고려한다. 수강재의 경우 집에서부터 6m~8m 정도 떨어져 있는데

수강재 큰방과 작은방의 굴뚝이다. 돌을 다듬어 지붕의 서까래 모양을 만들고 기와를 얹었다. 연가는 두 개이다.

건물의 뒤편이 앞마당에 비해 약 300mm 정도가 높고 그 다음에는 언덕이 있어 2단에서 3단 정도로 기단을 만들어주고, 그 위에 굴뚝이 있는 형태이다. 굴뚝은 본 건물에서 멀리 떨어져 있으면서 높게 위치하고 있다.

와편을 이용하여 만든 칠불사 아자방의 굴뚝으로 그 크기가 대단하다.(2017년 해체되기 전 모습이다)

▌연기가 나가지 않는 상황에 대해서

구들방이 살아나는 가장 첫 번째 조건은 연기가 방 밖으로 나가야 한다는 점이다. 그렇게 당연한 이야기를 하나 싶지만 막상 그렇지 않은 경우가 많다. 세월의 무게로 구들장이 무너지기도 하고, 고래둑이 망가져 고래를 막기도 한다. 시근담 부분이 망가지면 방 주변으로 연기가 새어 나오며 방 밖으로 나온 연기는 연도를 따라 굴뚝으로 가게 되는데, 이 부분도 비와 주변 배수로 문제와 연결되어 막히는 경우가 종종 발생한다. 몽땅 막히는 경우도 있지만 일정 부분이 부서지면서 흙이 밀려들어와 막는 경우도 있다. 굴뚝과 연결되는 연도를 수리하면서 굴뚝을 옮기거나 굴뚝과 연도의 연결을 막은 경우도 종종 있다.

지금 이 경우도 비슷한 상황으로 방안에서 불을 피우자 고막이 부근과 초석들 사이로 연기가 새어 나오기 시작했다. 이 상황만 봐도 고막이 부분은 우리나라 건축양식에서 가장 취약하다. 우리나라 한옥은 기둥과 기둥 사이를 잡아주면서 벽을 형성하는데 맨 아래 잡아주는 하방과 기초사이를 고막이라고 한다. 방인 경우 대부분 전돌이나 자연석, 흙을 이용하여 막아준다. 지금이야 기초를 대부분 철근 콘크리트로 하기에 고막이에 대한 걱정이 덜한 편이다. 세월이 흐르면 자연석과 흙으로 만든 부분이 지속적으로 습기를 머금고 추위와 더위에 수축 팽창을 반복하면서 고막이 부분이 망가지는 것이다.

가운데 연도 사이를 배수로 관이 지나가고 있다. 이 라인이 뒤뜰 전체를 가로지르고 있어 연도 모두가 막혀 있는 상황이다. 아마도 수강재 구들방에 불을 넣을 일이 없을 거라 판단했던 모양이다.

한참을 불을 피우니 연도의 끝부분으로 연기가 조금씩 나오는데 굴뚝으로는 연기가 나오질 않는다.

창덕궁 구들의 해체와 복원

굴뚝으로 연기가 나오지 않아 굴뚝 바로 아래 기단 밑을 파서 연도를 확인 후 연도 덮개석을 걷어냈다. 굴뚝으로 연기는 나오지 않았으나 이 위치까지는 연기가 온다.

4m 길이의 내시경 카메라로 굴뚝 내부를 촬영하여 조사하고 있다. 첫 번째 기단까지는 뚫려 있다.

굴뚝 바로 아래를 파서 연도와 연결되는 공간을 만들어주어야 한다. 될 수 있으면 아래 기단석을 유지하면서 굴뚝과 연도가 연결되었으면 한다. 좁은 공간이라 작업이 용이하지 않고 기단의 무너짐을 주의해야 한다.

굴뚝 안을 내시경 카메라로 들여다보니 어느 정도까지는 굴뚝이 뚫려 있었다. 하지만 맨 아래의 연도와는 연결이 되어 있지 않았다. 약 1m 정도가 연결이 되어 있지 않았다. 문제는 이 없어진 굴뚝 아래와 연도를 연결하는 것이다. 아랫단의 기단석을 빼내고 연결해야 할 것으로 보이며, 연결은 벽돌이나 오지 연통 같은 것을 활용해야 할 듯싶다.

두 개의 연도가 와야 하므로 두 개의 굴뚝 구멍을 연결시켜주어야 하는 상황이다. 다음은 연도를 확인해야 한다. 방에서부터 굴뚝까지의 거리는 가까운 큰방이 6m, 작은방은 9.5m 정도이다. 이곳에 연도가 과연 존재하는지, 있다면 연결이 되어 있는지가 문제이다. 당연히 연결이 되어 있지 않겠는가 생각은 되지만 건물 뒤로 설치되어 있는 배수로가 눈에 거슬린다. 배수로는 건물 뒤로 길게 설치되어 있는데 그나마 다행인 것이 깊게 묻혀 있는 것으로 추정된다. 불을 피워 보자 한쪽 방에서 간신히 연기가 나오기 시작한다. 많이 막혀 있다는 이야기다. 새로 다 파고 막혀있는 흙이나 이물질을 제거해 주어야 할 듯싶다.

지금이야 연도를 만드는 것이 그리 어렵지 않지만 예전에는 어떻게 만들었을까. 생각해 보면 이것도 참 고단한 일이었을 것이다. 궁궐의 경우 연도는 흙으로 구운 오지 연통으로 연결되어 있거나 구운 벽돌로 벽을 만들고 그 위를 화강암 구들장과 같은 종류의 돌로 막아주어 위에서 있을지 모를 외부의 충격을 막아주었다. 깊이는 지표면에서 약 300mm 정도의 깊이로 설치가 되어 있었다.

굴뚝의 위치

일반적인 굴뚝의 위치는 함실의 반대편에 있는 것이 보통이다. 수강재 작은방의 경우 옆면에 함실이 있고 직각으로 함실과 굴뚝까지 약 12m 이상 떨어져 있다.

굴뚝이 방으로부터 멀어지면 당연히 연기로부터 집이 자유로워진다. 연기가 방으로 들어올 경우가 거의 없다. 연도가 길어지면 외부 찬 공기로부터 구들방 안의 더운 열기를 빼앗길 염려도 작아진다. 하지만 무작정 멀어질 수는 없다. 멀어지면 멀어질수록 연기를 밀어내는 힘이 떨어질 수도 있기 때문이다. 굴뚝의 위치가 정해지면 개자리와 연결되는 연도의 위치도 정해진다. 연도를 너무 많이 꺾으면 연기가 나가는데 힘을 잃을 수 있으므로 될 수 있으면 부드럽게 연도를 만들어 준다. 큰방의 경우 연도가 한 번은 직각으로 꺾였다. 작은방은 많이 꺾이진 않고 부드럽게 연도가 길을 잡았다.

궁궐구들의 경우 나무를 연료로 쓰기도 하지만 숯을 사용하기도 했기에 밀어내는 힘이 좀 덜 필요했을 수 있다. 나무를 주 연료로 이용하는 경우는 4m~5m 내외로 연도에 개자리를 만들어주고 다시 연도를 이어 나간다.

함실에서 방의 끝부분까지는 4m이고 연도의 길이는 7m이다. 굴뚝의 크기는 가로 800mm 세로

수강재 뒤 마당 두 번째 기단 위의 굴뚝과 본채의 큰방 구들방과의 거리는 약 10m이다. 작은방은 보이는 문 안쪽에 마루가 있다. 따라서 마당 5.5m+마루 3m+기단 1m를 더하면 최소한 9.5m가 떨어져 있다.

왼쪽 사진의 아래 구멍에서 빛이 들어온다. 아래의 연도와 연결하기 직전이다. (사)한국구들협회 김만식 이사님이 굴뚝과 연도 연결 부분을 황토로 마감하고 있다.

800mm이며, 높이는 연가까지가 2m이고, 전돌로 조적이 된 길이는 1.8m이다. 기단은 2단이며, 맨 아래 기단의 높이는 0.8m이고 두 번째 기단의 높이는 1m이다. 안쪽은 일반 벽돌로 만들어주었고 연기가 나오는 구멍이 두 개이다. 방 하나당 하나씩이다. 구멍의 크기는 가로 세로 200mm씩이다. 이 두 개의 구멍은 두 번째까지 뚫려 있다. 마지막 단의 기단과 연도를 연결해주는 작업이 필요하다. 새로운 굴뚝과 연도를 이어주는 통로는 벽돌과 자연석을 이용하여 1단 기단을 파고 만들어주었다.

생각만큼 연도와 굴뚝의 연결은 쉽지 않았다. 그리고 연결된 뒤에도 연기가 바로 잘 나오지 않았다. 이유는 여러 개의 연도로 인해 다른 곳으로 흐르다 보니 굴뚝까지 오질 않는 것이다. 또한 직각으로 두 번이나 꺾여서인지 연기의 흐름이 좋지 않았다.

수강재 행랑의 굴뚝은 방 뒤 벽에 기대어 있다. 방의 크기도 작을뿐더러 굴뚝도 바로 연결되어서인지 개자리는 보이지 않는다. 뒷면에 작은 점검구가 있는 것으로 보아 바로 개자리와 연결된 것으로 추정된다.

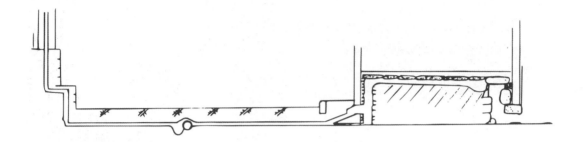

큰방에서 굴뚝까지의 연도를 그림으로 표현한 것이다. 연도 중간의 동그란 것은 배수로를 표현한 것이다.

행랑채의 굴뚝 아래부분 관리용 구멍이다. 굴뚝개자리에 모이는 목초액이나 청소를 위해 만든 것으로 보인다.

▌살아난 수강재 굴뚝

연도와 굴뚝을 연결하고 모든 기능이 다시 살아나자 굴뚝은 자연스럽게 연기를 내 놓는다.

연도의 해체 수리

연도가 살아나야 구들방을 살릴 수 있으므로 연도를 전체적으로 점검하는 수밖에 없다. 그러기 위해서 모두 해체하고 문제에 접근하는 것이 최선이라고 판단했다.

1차적으로 작은방에서 나온 연도의 두 끝을 추적하고 굴뚝과 임의의 선으로 연결하고, 땅을 파기 시작했다. 새롭게 들어나는 연도의 뚜껑 역할을 했던 판석들이 그 모습을 드러내기 시작한다. 하나 둘씩 그리고 세월의 무게로 인한 흙들로 메워진 모습도 함께 드러난 연도는 대부분 벽돌로 벽을 이루고 덮개석으로 위를 막아주었다.

연도는 폭이 300mm~400mm 내외이고, 깊이는 250mm~300mm 이다. 장대석과 벽돌로 이루어져 있다.

기단 바로 밑에 연도가 있다. 세월에 흙으로 많은 부분이 묻혔다. 덮개석은 구들돌을 이용하였다.

연도를 해체하다 보니 나중에 설치된 것으로 추정되는 배수로 시설이 뒷뜰을 가로 지르고 있었다. 갑자기 불안감이 엄습해왔다. 연도와 배수로의 깊이가 정확히 부딪히는 것은 아닐까 하는 염려가 모두의 바람과는 달리 실제 상황으로 벌어지고 말았다.

여러 의견이 나왔다. 첫 번째는 배수로를 없애 버리자. 굴뚝으로 가는 통로가 더 중요하므로 배수로 위를 좀 잘라내고 그 위로 연도를 만들자. 두 번째는 배수로 아래로 길을 만들어보자. 배수로를 없애기에는 또 다른 문제가 생길 것이 우려되기 때문이다. 세 번째는 배수로 위로 길을 만들자. 이때 연기를 당겨줄 힘을 보완하기 위해 개자리 역할을 할 구멍도 만들어주자.

자! 이럴 땐 어떤 방법을 선택해야 하는가? 또 다시 고민하기 시작했다.

배수로를 잘라내는 것은 비가 오거나 막히면 더 큰 문제가 발생할 수 있으니 이 방법은 좀 어렵겠고. 배수로 아래로 길을 만드는 건 아마도 100% 물이 고일 가능성이 높다. 배수로의 이음매 부분으로 배수로에서 새는 물도 한 몫을 할 것이다. 그렇다면 남은 방법은 배수로 위로 길을 만드는 방법인데 먼 길을 온 연기가 다시 위를 향했다가 갈 수 있느냐가 관건이었다.

그래서 배수로 뒤를 좀 파서 연도의 개자리 역할을 하게 만들기로 하고 일단 작업을 시작했다. 불을 피워보고 만약 연기의 흐름에 문제가 있다고 판단되면 배수로 문제를 다시 고민하기로 했다.

애초에 배수로 작업을 하면서 연도가 발견되었을 때 지름 200mm의 라인이 필요했다면 100mm파이프를 2개 묻으면 연도도 살리고 배수로 문제도 해결했을 것이다. 아쉬운 부분이다.

배수로를 살짝 넘기며 연도를 만들어주었다. 사진에서 보듯 폭은 300mm이고, 높이는 250mm이다.

배수로 건너에 바로 연도 개자리를 하나 만들어 주었다. 배수로 위 면에서 보면 500mm 정도의 깊이다.

▌연도 복원

수리와 복원의 기준점은 가능한 본래의 재료를 재사용하고 원형을 그대로 살려 만드는 것이다. 무너진 흙과 막힌 부분을 수리하여 굴뚝으로 연기가 제대로 나올 수 있도록 원래의 형태로 다시 만든다.

수강재 큰방과 작은방의 구들에서 특이한 점은 연도가 2개씩이라는 점이다. 4개의 연도는 모두 뒤뜰의 굴뚝을 향하고 있는데 근대에 와서 다시 만든 것으로 보이는 배수로로 인해 모두 막혀 있었다. 연도가 지나가는 깊이와 동일하게 배수로가 묻혀 있다. 구들을 살리려면 어떤 방식으로든 이 연도를 복원해야 한다.

연도는 바닥, 벽, 덮개로 나누어 볼 수 있다. 바닥은 마사토로 다져져 있어 그대로 사용을 하고, 벽은 대부분 벽돌로 만들어져 있어 발견된 벽돌과 일부 구들방에서 나온 벽돌을 활용해서 만들어 복원하였으며, 윗부분은 해체 시 나온 덮개석으로 막고 그 위를 흙으로 덮어주었다. 구들방 바깥으로

수강재 뒤 마당의 맨홀에서 연기가 올라오고 있다. 연도를 모두 관통하는 배수로를 통해 연기가 맨홀까지 나왔으며 수강재 바깥 맨홀까지 나왔다.

나가는 연도가 외부에 노출된 곳이기도 하고 근대에 수리한 흔적도 있었기 때문에 혹시나 시멘트가 사용되었을 수도 있을지 모르겠다는 생각을 했으나 다행히 모두 흙으로만 되어 있었다. 다행히 황토반죽으로 작업하는데 큰 무리는 없었다.

굴뚝은 하나이고 올라가는 부분이 두 개이지만 서로 공기가 통하는 구조이다. 그러다 보니 큰방에서 불을 피우면 연기가 굴뚝까지 왔다가 작은방으로 연기가 새어 나간다. 작은방의 개자리에 연기가 가득하다. 그리고 큰방의 메인 연도에서 나온 연기가 굴뚝까지 와서 작은 연도 방향으로 역류한다. 역류하면서 다시 배수로를 타고 맨홀로 연기가 나온다.

맨홀로 연기가 나오는 상황을 해결하려면 맨홀과 연결된 배수로 중 연도와 연결된 부분을 찾아서 막아주어야 한다. 따라서 안방의 두 개 연도 중 메인 연도는 살리고 작은 연도는 굴뚝 입구에서 막아 주었다. 안방의 메인 연도로 온 연기가 다시 작은 연도 쪽으로 가서 그 부분과 마주친 배수로를 타고 맨홀로 연기가 나온 것이다.

4 궁궐 함실아궁이

●●●
▌복원하기 전 아궁이 상황

두 방 모두 함실아궁이다. 외형적으로는 구조상의 문제를 발견할 수 없었다. 아궁이 입구도 수리를 해야 할 정도로 부서지거나 훼손된 곳이 없었다. 함실의 내부도 육안으로 관찰하고 사진 촬영을 통해 확인한 결과 수리를 요하는 부분은 없어 보였다. 단지 큰방 함실에서 불목돌 부분에 약간의 보완이 필요해 보였다. 시근담 방향으로 걸쳐진 함실장도 육안 상으로는 큰 문제가 없어 보였다. 작은방의 함실아궁이에서 시근담 부분의 불필요한 것들을 제거해 연기가 새지 않도록 하면 될 것이다.

수강재 큰방 함실아궁이 내부 모습

▌큰방의 함실

구들방에서 최초로 에너지를 만들어 내는 곳이 함실이다. 아궁이는 함실아궁이와 부뚜막아궁이로 나누어지는데 궁궐에서는 대부분 함실아궁이 형태를 가진다. 함실아궁이는 방 안쪽에 위치하여 부뚜막 아궁이보다 열효율이 좋다. 하지만 여기서는 열효율의 의미보다는 그 용도가 다름에 의미를 두고 있다. 수강재에서 가장 큰방의 함실은 생각보다 굉장히 크고 독특한 모양을 하고 있었다.

아래 사진의 함실장은 함실 위를 막고 있는 돌(함실장)로 크기가 상상을 초월한다. 두께는 평균적으로 160mm이고 좌변 650mm 우변 670mm이고 폭은 1400mm이다. 요즘 많이 쓰이는 현무암 함실장이 500mm, 1000mm 두께 80mm 정도로 장정 3~4명이 들어야 들을 수 있는 무게라고 한다면 수강재 함실장 정도는 적어도 장정 5명 이상이 들어야 하는 굉장히 큰 돌이다. 당연히 함실의 크기도 엄청나다.

수강재 큰방의 함실아궁이는 큰방 다락 밑에 위치하고 있다. 사진 오른쪽이 큰방의 아궁이이다.

큰방의 함실장 사진이다. 약간 왼쪽으로 치우쳐 있으며 큰방의 뒷문과 연관이 있는 것으로 추정된다.

함실장이 크다는 뜻은 한 번 덥혀지면 그 축열기능이 오래 간다는 뜻이기도 하다. 하지만 궁궐이라는 특성상 한 번에 많이 피우지는 않았을 것으로 추측된다. 해체 시 함실장 위에 위치한 부토에서 알 수 있듯이, 만약 불을 많이 피웠다면 그대로 앉아 있기 어려웠을 것이며 불을 피우되 은근하게 피웠을 가능성이 더 높다. 함실에서 고래로 이어지는 불구멍은 총 6개로 세 면에 2개씩 있다.

큰방의 함실장. 가로 길이가 무려 1400mm이다.

아궁이의 크기는 가로 350mm 세로 330mm이고 최근에 제작된 주물 불문이 설치되어 있다. 함실 입구의 위치는 건물의 왼쪽이고 문을 열고 들어가는 형태이며 바깥마당보다 200mm 낮다. 큰방과 옆에 있는 두 방의 함실 입구가 함께 있다. 가로 2200mm, 세로 2500mm이며, 높이는 2000mm로 부엌과 비슷한 공간으로 되어 있다. 위는 큰방의 아랫목 위쪽 다락방의 형태이다.

이 공간이 약간 낮은 상태라서 항상 말라 있는 것은 아니다. 마당과의 차이는 별로 없지만 입구 쪽이 기단으로 1단 정도 마당보다 높다 보니 아래로 들어가는 기분이 든다.

함실은 2단으로 구성되어 있다. 1단은 처음 함실이 시작되는 부분이고, 2단은 1단 위로 앞과 옆으로 약간 넓어지는 형국이다. 따라서 반달 모양이며 안으로 들어가면서 넓어진다. 함실 안의 1단은 깊이가 800mm이고, 양 옆으로 폭이 1100mm이다. 다음 2단은 1단에서 높이가 300mm 올라간 다음 넓어진다. 깊이는 200mm 더 깊어져 1000mm이고, 양 옆으로는 1500mm로 넓어진다. 함실 바닥에서 함실장까지의 높이는 1300mm이다. 이렇듯 함실장이 두껍고 크다 보니 구들장 역할도 함께 한 것으로 보인다.

함실의 위치는 방 가운데에서 조금 왼쪽으로 치우쳐 있다. 이유는 옆으로 통하는 문이 있기에 이 방의 중심을 약간 왼쪽으로 치우치게 한 것 같다.

함실장은 벽 방향으로는 시근담에 걸쳐 있고 앞쪽으로는 불목돌에 걸쳐 있다. 그 하중을 생각해서 인지 큰 돌로 함실을 지나치게 했고, 그 위에 시근담을 돌리고 걸쳐 있는 형국이다. 다시 말해 시근담 방향으로는 튼튼하게 걸쳐 있고 함실을 구성하는 함실 벽도 화강암으로 그 위에 함실장이 걸쳐 있다. 꽤 큰 편이다.

해체작업에서 느낀 점은 원래 최초로 구들을 놓은 구들장인은 아마도 이 높이로 작업하지 않았을 것으로 추론된다. 그 이유는 첫 번째로 사진 속의 굄돌 부분을 살펴보면 그 굄돌은 최초의 것이 아니라 수리하면서 새롭게 놓인 것으로 추정할 수 있다. 기존의 시근담과 고래둑에 놓인 벽돌과는 놓인 형태와 기법이 사뭇 다르며 함실장을 받치고 있는 굄돌도 다른 돌들이 놓인 상태와는 너무 많은 차이가 나기 때문이다. 크기나 상태로 볼 때 최초의 놓인 돌들보다 좀 못하다는 느낌이다.

큰방의 굄돌 모습이다. 다른 돌들과 비교하면 그 형태가 좀 빈약하다.

두 번째는 전체적인 방의 높이다. 우리나라 구들방의 높이는 마루높이와 거의 비슷하거나 문틀 바로 아래로 맞추어진다. 하지만 큰방의 경우 방바닥이 높이 올라와 있었다. 전체적으로 구들장을 높이고, 함실장도 일정 부분 높인 흔적이 여기저기서 보이고 있다.

세 번째는 고래둑의 높이다. 이 방은 장작을 주로 땐 것으로 추정되는데 해체 시 고래둑 높이가 너무 낮았다. 하지만 고래 사이로 무너진 흙더미를 걷어내자 원래의 바닥이 보이기 시작했다. 연기에 그을린 자국과 단단한 흙바닥이 보였다. 이 바닥의 높이는 함실장과의 연계성으로 볼 때 함실장이 아래로 내려가는 것이 옳다.

▌작은방 함실

이 방의 함실은 다른 일반적인 방과는 약간 차이가 있다. 크기가 가로 2200mm이고 세로는 4730mm이다. 폭이 좁고 긴 방이다. 이런 방은 가로의 2200mm 방향에 함실을 만들고 고래를 4730mm 방향으로 만들어주면 긴 줄고래 형태가 된다. 하지만 함실은 그 예상과는 달리 4730mm 긴 방향의 한쪽으로 치우쳐 있었고, 고래는 부챗살 모양으로 퍼져나가 있었다.

작은방의 함실장도 큰방과 같이 가로 1200mm 세로 600~670mm이며 두께는 평균 170mm이다. 이 함실장도 어른 4명 이상이 들어야 하는 크기이므로 그 규모에서 모든 것을 압도한다. 일반적인 함실장의 크기와 비교하면 거의 4배 이상이다. 함실에서 고래로 이어지는 부분도 꽤 큰 편이다. 함실장은 시근담 위에 얹어진 상태이고 함실장의 높이는 구들장의 높이와 거의 일치하고 있다. 함실장이 좀 더 아래에 놓이면서 함실장 위에 굄돌이 놓이고 그 위에 구들장이 놓이는 상태와는 좀 다르다.

함실의 불문은 마당에서 보면 문 밖에 위치하고 있다. 아마도 안쪽에 위치해야 하는데 문제가 있었던

작은방의 함실장. 중앙으로 환한 빛이 들어오는 부분이 아궁이 부분이다.

작은방 함실아궁이. 기단석으로 이루어져 있으며 쪽마루 밑에 위치한다.

돌의 모서리 부분이 턱이 진 것은 덮개로 함실아궁이 입구를 막았다는 뜻이다. 실제로 아궁이 뚜껑 놓이는 자리에 홈이 파졌고 덮개가 있었다.

것으로 추정될 뿐이다. 함실아궁이 입구는 가로 350mm 높이는 330mm이다. 불문은 설치되어 있지 않았는데 기단석을 자세히 보면 약간의 턱이 보이는 것을 보아 무언가로 막았을 것으로 판단된다.

함실 안쪽은 작고 2단 형태를 취하고 있다. 함실의 초입은 직사각형의 일자 형태이며 들어가서 양쪽으로 넓어진다. 반달 모양이면서 약간 옆으로 넓은 반달 모양새다. 넓고 큰 함실장을 사용함으로써 여러 방향으로 불기운을 보내기 쉽게 하기 위해 안쪽으로 들어가서는 옆으로 넓게 만들었을 것으로 추정된다.

85페이지 사진을 보면 마룻바닥이 방바닥과 거의 일치한 것에서 함실의 높이를 가늠할 수 있다. 함실 바닥에서 방바닥까지의 높이가 1100mm이며, 함실 바닥에서 함실장 상단까지의 높이는 800mm이다. 함실장 두께가 170mm이고 부토의 두께가 100mm이다.

함실장 주변을 수리하면서 벽을 근대에 수리했던 흔적을 발견했다. 벽에 각재로 얇게 벽을 하나 더 만들어주고 한지 도배를 바른 것이나 또 그 남은 자재가 시근담과 함실장 사이에 그대로 많이 남아 있는 것만 봐도 충분히 짐작할 일이다. 물론 불필요한 남은 자재는 우리 복원팀이 깨끗이 정리를 했다. 벽의 안쪽을 보면 원래 벽의 높이를 알 수 있는데 그 높이가 현재와는 좀 다르게 보인다.

창덕궁 구들의 해체와 복원

▌일반적인 함실의 크기와 구성

함실은 주 연료인 장작이 연소되기 위해 필요한 공간을 만들어주는 것으로 방의 크기와 상관관계가 있다. 가로 세로 3m~4m 내외의 방인 경우는 장작의 양을 고려하면 대부분 가로 세로 600mm~800mm 내외에서 결정된다. 이러한 함실은 장작이 투입되는 입구와 연소가 이루어지는 부분으로 나누어지며 발생된 에너지가 방안의 고래와 연결되는 부분으로 구성된다. 따라서 함실은 최적의 연소가 이루어지도록 그 공간을 구성하는 것이 가장 기본이라 할 수 있겠다.

하지만 방이 큰 경우는 최적의 연소도 중요하지만 큰방의 함실에서 먼 곳까지 열기를 보내야 하는 점과 많은 에너지를 만들어야 하고 좀 더 오랜 시간 에너지를 지속시켜야 하는 점을 감안해야 한다. 방이 크다는 뜻은 방에 많은 에너지를 전달해야 하는 것이다. 많은 에너지가 골고루 전달되기 위해서는 고래가 많아질 수 있다. 따라서 균등한 분배를 위해서는 함실이 커 질 수도 있으며 불구멍도 그 만큼 많이 만들어야 한다. 송광사의 대방 구들의 경우 함실 안에 사람 두 명이 들어가도 될 정도로 크다. 방의 크기가 21평이나 되니 당연한 일이다.

함실을 만들 때 가장 먼저 만들어야 하는 건 함실바닥이다. 함실 바닥이 어떻게 만들어져 있는가는 집을 짓는 가장 기본이 되므로 그 만큼 중요하다. 튼튼한 바닥을 기본으로 했을 때 함실벽도 튼튼하게 만들 수 있다. 함실 벽은 화강암을 이용하여 만들기도 하고 전돌이나 자연석을 그대로 이용하여 만든다. 수직이거나 약간 기울어져 있는 형태이며 모양은 직사각형이거나 약간 타원형인 경우가 많다. 불문이 있는 곳도 있고 발견되지 않는 경우도 있다. 불문은 대부분 주물로 만들어져 있으며 두 개로 나누어져 있는 경우도 있다. 크기는 400mm 내외이다.

함실의 구조

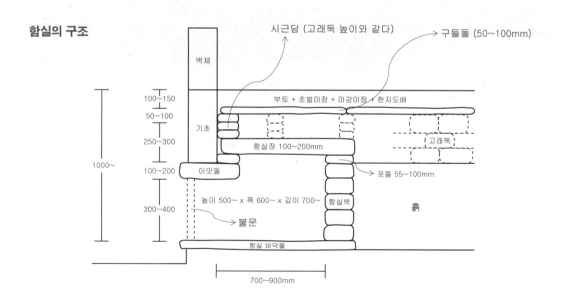

█ 행랑채 함실아궁이

수강재는 본채에 3개의 구들방과 행랑채에 2개의 구들방이 있다. 구들을 해체하기 전이지만 본채와 행랑채의 차이점은 외관으로만 봐도 분명해 보였다.

가장 눈에 띄는 것이 함실의 구조이다. 본채의 함실은 그 규모가 상당히 크다. 함실바닥에서 방바닥까지의 높이가 최소한 1m 이상 된다. 반면에 행랑의 구들은 높아야 500mm 내외이다. 방의 크기도 가로 세로 2400mm 정도이다. 함실바닥에서 방바닥까지의 높이가 높지 않다는 뜻은 고래와 고래둑이 낮다는 뜻이기도 하며 개자리도 낮다는 뜻이다. 자연히 굴뚝도 그리 크지 않다. 위치도 방과 멀리 떨어진 것이 아니라 벽에 붙여서 처마 위로 올렸다. 이렇게 낮은 모양의 함실은 자연스럽게 모든 것이 낮아 불을 피우면 금방 따뜻해질 것이지만 금세 식기도 한다.

수강재 행랑으로 2개의 구들방이 있다. 건물자체가 낮기 때문에 아궁이 입구가 땅으로 내려가 있다.

수강재 행랑의 함실아궁이다. 기단석의 턱으로 보아 아궁이 뚜껑을 덮기 위해 돌에 홈을 파 놓은 것이다.

▎낙선재 구들방

낙선재는 헌종이 머물던 전각이다. 본채에는 3개의 구들방과 행랑채에는 8개의 구들방이 있다. 본채 앞마당은 수강재의 4배~6배 정도 크기이다.

위 사진은 낙선재 본채의 왼쪽에 위치한 누마루의 모습이다. 누마루 아래에 아궁이가 있다. 방은 건물의 맨 뒤에 한 칸이며, 앞에 보이는 두 번째 초석 뒤에 아궁이가 있다. 사진으로 보여지 듯 함실바닥에서 방바닥까지의 높이가 꽤 높다. 약 1.2m이다. 굴뚝은 직선방향으로 뒤뜰의 10m 떨어져 위치하고 있다. 이 상황으로 보면 줄고래 형태인 것으로 보인다.

위 사진은 낙선재 누마루 아래에 있는 함실아궁이의 연기를 받는 굴뚝이다.

위 사진은 낙선재 행랑의 아궁이 모습이다. 아궁이는 마루 아래에 위치하고 있고, 구들방 뒷편에 방 벽과 붙어서 굴뚝이 있다. 이곳 행랑채는 낙선재 본채와 집의 높이에서 차이가 많이 난다.

5 고래둑과 시근담

▌큰방 고래둑

구들에서 고래둑은 뼈대와 같다. 구들의 심장인 아궁이에서 만들어진 에너지를 방안 곳곳에 전달할 수 있는 길을 만들어주고 구분해주는 역할을 한다. 에너지가 흐르는 고래를 구분하게 하며 또한 그 에너지를 받아들이는 구들장을 받쳐주는 역할을 한다. 큰방은 전형적인 줄고래 형태를 취하고 있다. 구들장을 해체하면서 드러낸 고래둑에서 세월의 흔적이 고스란히 전해진다.

큰방의 고래둑을 해체 수리 후 복원한 모습이다.

큰방의 고래는 6줄이고 고래둑은 5개이다. 시근담은 정교하고 튼튼하게 전돌로 만들어져 있어 다시 손을 보지 않아도 될 정도이다. 전체적으로 모두 전돌로 만들어졌으며, 작은방의 와편으로 만든 것과는 조금 다른 느낌이었다. 하지만 세월의 무게를 이기지 못한 고래는 무너진 고래둑의 흙으로 묻혀 있는 곳이 많았다. 원형을 살리기 위해 고래 사이의 무너진 흙을 걷어내자 고래의 형태가 제대로 드러났다. 고래둑은 구운 전돌과 와편으로 이루어져 있었다.

수강재 안방의 구들장을 걷어내자 줄고래 형태의 고래둑이 모습을 드러냈다. 근대에 수리한 흔적이 보인다.

고래바닥은 전체적으로 흙이 많이 무너져 있었지만 개자리 부분부터 함실방향으로 경사각을 만들어 준 건 확실했다. 흙으로 바람막이에서부터 경사를 만들어주었는데 바람막이부터 경사를 만들어주었다는 것을 증명하는 건 고래둑 맨 아래 전돌의 높이가 같다는 점이다.

고래와 고래둑의 몇 가지 특징이 있다면, 첫 번째로 고래의 폭이 방 한 가운데는 좀 넓고 바깥으로 갈수록 좁아진다는 점이다. 방의 가운데는 열기가 직접적으로 많이 가게 되는 경향이 있어 좀 좁아도 된다고 생각이 드는데 수강재의 큰방은 그렇지 않았다. 두 번째는 왼쪽의 첫 번째 고래와 두 번째 고래사이가 터져 있고 아랫목으로 가면서 구들장과 고래둑 사이에 굄돌을 괴어 열기를 흩트린 흔적이 보인다는 점이다. 세 번째는 함실의 왼쪽과 오른쪽이 고래가 켜지면서 넓어지는데 이 부분이 2단으로 고래바닥을 만든 점이다. 아마도 열기를 위로 올려 보내려는 의도가 아니었나 싶다.

큰방은 모자란 벽돌을 추가로 보완하여 원형을 살림으로써 다시 사용할 수 있는 방으로 복원하기로 했다. 작은방은 여러 사람들이 구들의 문화를 보고 느낄 수 있도록 일정 부분의 고래와 고래둑을 보여주기로 하였지만 큰방의 경우 다시 불을 피우고 살아있는 구들방의 모습을 찾는 것에 목표를 두었다. 이런 염원은 온전히 우리 팀의 자긍심으로만 만들어갈 수밖에 없다. 대부분의 것들이 수리를 하고 복원을 하면 그 복원된 모습을 육안으로 확인할 수 있지만 구들은 다시 흙 속으로 들어가 숨어버린다. 그러나 불을 지펴보면 이 또한 바로 확인되는 일이다. 하지만 불길이 잘 돌고 있는 것만 보여주고 싶은 것이 아니라 구들장이의 욕심 같아서는 훤히 드러난 우리나라 전통구들의 모습을 보여주고 싶다. 어떻게 만들어졌고 어떻게 복원 수리되어 가고 어떻게 완성되어 가는지, 그 완성품이 얼마나 아름다운지 실제 모습을 보여주고 싶다. 아쉽지만 사진으로나마 구들장이의 소박한 마음을 전할 수밖에 없어 안타까운 마음이 앞선다. 보이지 않기에 보이는 것 보다 더 견고하게 원형을 살리고자 하는 마음이 더 간절해진다.

고래둑과 고래의 복원을 위해 가장 먼저 할 일은 어디까지가 원래의 고래둑이었나를 확인하는 것이다. 다행히 시근담이 원형 그대로 잘 보존되어 있었고 그 시근담을 기준으로 작업을 이어갔다. 시근담은 전돌 4장 높이로 이루어져 있다. 따라서 시근담과 같은 높이로 고래둑을 복원했다.

고래둑의 폭은 250mm~300mm 사이로 꽤 넓은 편이며 고래의 폭은 250mm~400mm 내외로 약간은 작은 편이다. 근대에 수리를 하면서 고래둑 마지막 부분은 전돌을 세워 마감한 흔적을 볼 수

고래둑은 대부분 전돌로 이루어져 있다. 긴 길이로 두 개가 놓여 있고 고래둑의 폭은 250mm이다. 아래에 위치한 전돌들은 모두 일정한 전돌을 사용한 반면에 위로는 다양한 전돌이 사용되었다.

시근담에서 고래둑까지의 거리를 특정하고 있다. 고래의 폭은 300mm이다.

있었다. 많은 양의 흙이 무너져 내려 고래를 막고 있는 상황인지라 흙을 걷어낸 후 원래의 고래 바닥을 고래둑 맨 아래에 있는 전돌로 확인을 했다.

처음 구들장을 걷어내면서도 확인되었듯이 바람막이가 전체적으로 있었다. 하지만 많은 양의 흙이 무너져 내려 있던 터라 원래의 바람막이를 구분하는 일은 시근담과 맨 아래 고래둑을 보면서 알아볼 수 있었다. 무너진 흙을 걷어 내고 전체적으로 다시 바람막이를 설치하였다.

바람막이를 전체적으로 복원했다. 중앙부분은 50% 이상을 하였으며, 사진의 왼쪽 부분과 오른쪽 부분은 거의 뚫어 놓았다.

큰방의 고래둑은 벽돌과 와편을 이용하여 복원하였다. 전체적인 높이를 맞추기 위해서 실을 띄워 놓고 작업을 진행하였다.

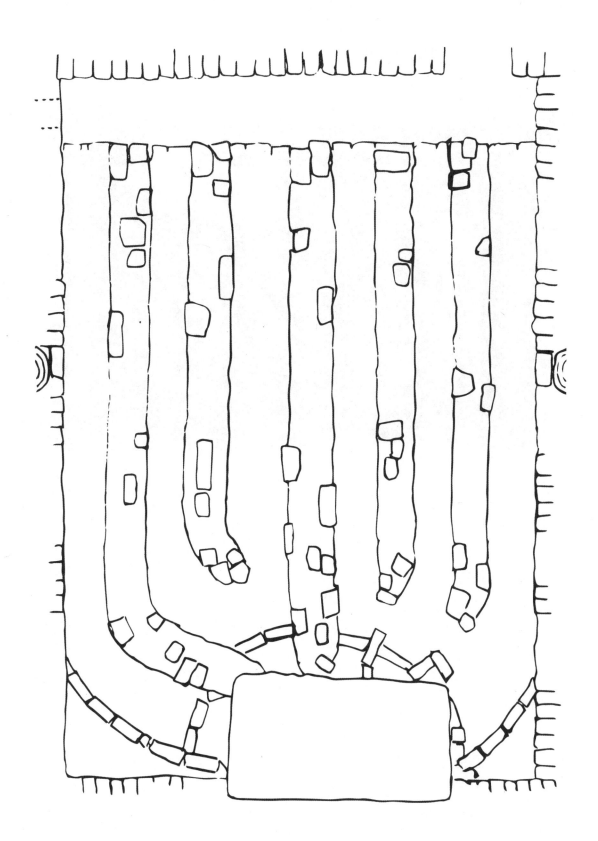

큰방의 함실장, 고래둑, 개자리를 표현해 보았다.

▌작은방의 고래둑 복원

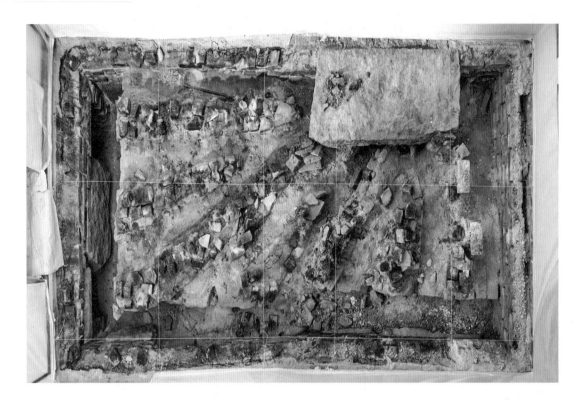

작은방은 구들장을 걷어내니 큰방에 비해 고래의 폭이 훨씬 작고 고래둑은 낮았다. 구들장을 다 해체하고 나니 아름다운 부채고래의 전 모습이 나타났다. 고래둑은 7개이고 고래는 총 8개였다. 함실은 아랫목 위쪽으로 치우쳤고 함실의 반대편에 고래가 깊게 형성되었으며, 방문 쪽으로는 고래개자리가 위치하고 있었다. 고래의 폭은 200mm~400mm로 함실부분은 좁고 고래개자리 방향으로 가면서 넓어졌다. 고래둑의 높이는 200mm~300mm로 함실부분은 높고 바람막이 부분으로 오면 높이가 낮아졌다. 고래둑을 형성하는 재료는 대부분 전돌과 와편이었다. 함실장 부분의 고래둑 아래는 자연석을 가공하여 기초석으로 놓았다.

고래둑을 보면서, 왜 이 방은 부채고래로 만들었을까. 이 방 또한 아랫목의 헛간에서 함실을 구성하였다면 자연스럽게 줄고래 형태가 되었을 것이 확실해 보인다. 그런데 무슨 이유에선지 함실은 바깥으로 틀어 앉았고 아름다운 부채 형태를 갖추었다.

좀 생소해서 그런지 평소에 보던 일자형태의 고래보다 부채꼴로 펼쳐진 고래의 모습이 아름답게 보인다. 구들을 시공하면서 굳이 이런 형태를 만드는 건 그리 흔한 일이 아니기 때문이기도 하고 일반적으로는 줄고래를 많이 시공하기 때문이 아닐까 싶다. 일단 부챗살 모양으로 퍼진다는 의미는 구들장을 올릴 때 받혀주는 부분이 일정하지 않고 걸쳐지지 않을 수 있다는 뜻이기도 하다.

Changdeokgung Palace Korean Heating System, Gudeul

수강재 작은방의 고래는 부채처럼 퍼지는 모양이다.

102페이지 사진에서 함실장 반대편의 고래는 독특하다. 개자리의 역할을 하게 만든 것으로 추정되는데(중간개자리임) 그 깊이가 다른 고래보다 훨씬 깊고 개자리 방향으로 가면서 점점 깊어져 나중에는 고래개자리 깊이와 같게 된다. 또한 부챗살 모양의 고래도 제각각 높이가 다르다. 오른쪽 끝 고래는 깊이도 깊고 방의 가운데로 올수록 고래의 깊이가 낮다.

전체적인 고래둑의 복원은 본래의 전돌과 와편을 이용하고 부서진것을 교체하되 전돌이 부족하면 와편으로 복원하는 것을 원칙으로 하였다. 부채고래에서의 와편은 하나하나 정성 들여 놓는 작업을 의미한다. 원형 복원에 치중하여 작업을 진행했다. 아래 사진에서 보듯이 자연석을 잘 다듬어 기초석으로 사용하였다. 그 위의 재료들은 전돌과 자연석 그리고 와편인데 대부분 해체했을 때 발견된 재료들을 이용하여 복원했다.

이런 부분이 나중에 구들장을 얹는데 아주 중요한 역할을 하는 것은 아니지만 전체적으로 봤을 때 가장 무너지고 망가지기 쉬운 부분 중 하나임에는 틀림없다. 면적이 작은 부분이기 때문에 전돌과 와편이 쌓이면 흔들림이 생길 수 있는 점을 감안하여 뒤 부분과 연결해 가면서 차근차근 복원해 나갔다.

함실장의 높이가 구들장의 마감 높이이므로 복원해야 될 고래둑의 높이는 자연스럽게 결정된다. 함실부분의 고래둑 높이는 제법 높다. 하지만 개자리로 가면서 고래둑의 높이는 낮아진다. 바람막이를 전체적으로 만들어주고 흙으로 부드럽게 경사를 만들어주었다.

사진 가운데 삼각형 모양의 고래둑 기초석이 인상 깊게 보인다.

시근담

시근담은 전체적으로 전돌로 만들어져 있다. 전돌의 넓은 면으로 쌓아 올린 시근담의 폭은 큰방에 비하면 절반이다. 아마도 방의 크기를 고려하다 보니 이렇게 만든 것 같다. 원래의 시근담 높이가 전돌의 끝이라고 보면 근대의 수리과정에서 시근담의 높이가 높아진 것으로 추정된다. 방의 마감선과 구들돌의 해체 전 마감선을 고려하면 전돌 위에 무언가가 더 얹어진 형국이다.

아래 사진에서 작은방을 근대에 수리과정을 거쳤다는 것을 추측할 수 있다. 시근담을 새로 만들면서 시멘트를 사용했다. 시근담과 고막이벽 사이를 잘 막아주어야 하는데 그 부분이 좀 허술하게 작업이 되어 있어 황토와 모래로 보강을 했다. 연기가 고래를 향해 따라가고 굴뚝을 향해 잘 나갈 것 같지만 그렇지 않을 때도 있다. 연기는 조금이라도 틈이 생기면 언제든지 그곳으로 간다. 연기가 가장 많이 새는 부분이 바로 시근담 근처이다.

근대에 시멘트를 사용하여 시근담을 수리한 흔적을 볼 수 있었다.

그렇다면 시근담에서 왜 연기가 잘 샐까. 기둥 보 방식의 집에서 기둥과 기둥을 잡아주는 것은 하방 중방 상방이다. 하방 밑을 고막이라고 하고 이 부분을 벽돌이나 흙, 돌로 막아주는데 이 부분과 연결된 것이 시근담이다. 이 시근담을 처음부터 같이 만들어주면 일체감이 생기면서 새지 않을 수 있겠지만 나중에 만들다보면 조금은 틈이 벌어질 가능성이 높다. 따라서 고막이와 시근담이 잘 어우러져 연기가 새지 않도록 하는 것이 매우 중요하다.

작은방은 초석이 시근담의 일부로 초석과 초석사이는 전돌로 막고, 초석 위에 전돌로 시근담을 만들어주었다. 아마도 작은 면적을 고려해 그렇게 시공한 것으로 보인다. 고래둑은 큰 장대석 하나로 만들 수도 있겠지만 벽돌이나 위 사진처럼 와편으로 만들 때가 많다. 이런 경우 벽돌이나 와편을 서로 잡아주는 역할을 하는 접착제가 필요하게 된다. 대부분 황토를 많이 사용하며 그 양은 적을수록 좋다. 고래둑은 열기가 지나가는 길을 만들어주기도 하지만 구들장을 받혀주는 역할도 한다. 그렇기 때문에 그 위에 흙이 많이 올라가면 지속적으로 하중을 받게 되고 또한 흙은 세월이 지나면서 바스러지고 무너질 수 있어 되도록 적게 사용하여 그 형태를 만들어주는 것이 좋다.

작은방의 고래둑 중 모자란 부분은 와편을 이용하여 복원하였다.

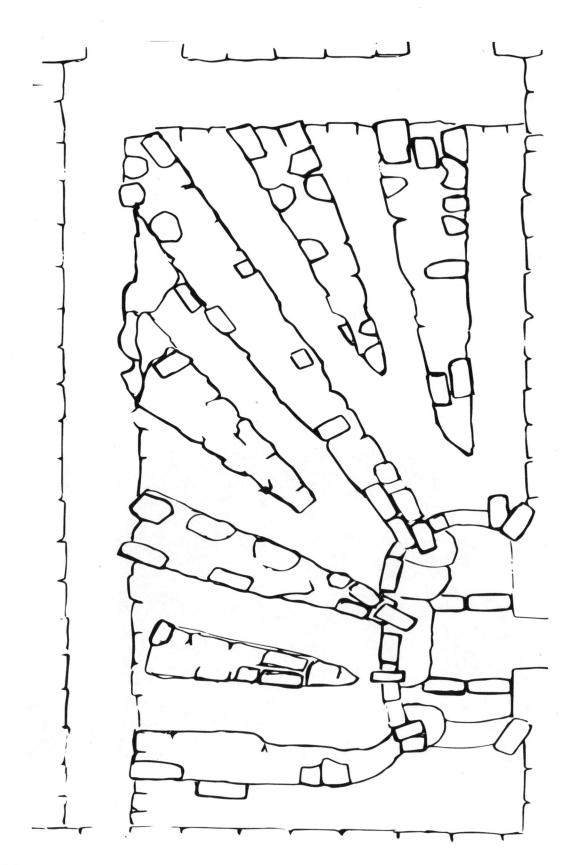

창덕궁 구들의 해체와 복원

고래와 고래둑의 폭과 깊이

궁궐구들에서 보여주는 고래의 폭은 대부분 300mm~400mm이다. 하지만 수강재의 작은방 부채고래의 경우 200mm인 경우도 있다. 고래의 폭은 어느 정도로 해야 하나를 결정하기에 앞서 폭을 결정하는 변수를 먼저 생각해 보자. 변수는 열기가 흘러가는데 적합한 크기, 고래를 덮어줄 구들장의 크기, 열기가 많이 가고 적게 가야 하는 경우의 수, 방구석(코너 부분)의 넓은 폭 등을 생각할 수 있다.

고래는 고래둑과의 거리로 말하는 폭이 있고, 고래둑의 높이로 말하는 깊이가 있다. 열기가 지나가는 공간은 폭과 깊이로 말해진다.

고래의 깊이는 어느 정도 일정한 높이를 가진다. 너무 높으면 열기가 구들장을 덥히기 어렵고 너무 낮으면 고래가 막힐 염려가 있다. 이런 저런 이유로 깊이는 낮게는 100mm이고 높게는 300mm~ 400mm 내외에서 결정이 된다.

고래의 깊이가 낮아지는 경우는 어떻게 되는가?

바람막이가 있는 고래의 마지막 부분은 바람막이 높이에 따라 고래의 깊이가 100mm 정도로 낮아질 수 있다. 바람막이 부분은 비스듬히 흙으로 경사를 만들어주게 되므로 고래의 깊이가 낮아진다. 바람막이 부분에 흙으로 고래의 깊이를 조정하는 이유는 급격하게 바람막이가 설치되면 공기의 흐름에 방해가 되어 갑자기 열기가 안 나갈 수 있기 때문이다.

고래의 깊이가 깊어지는 경우는 어떻게 되는가?

구들을 놓다 보면 어쩔 수 없이 함실이 설치된 면으로 연도를 만들어주어야 할 경우가 생긴다. 이런 경우 연도가 고래 바닥 아래에 설치되는데 이마저도 어려운 때가 있다. 이 경우 고래 하나가 고래 역할도 하면서 연도와 같은 역할을 하도록 고래 깊이를 조금 더 깊게 만들기도 한다.

그리고 고래의 폭은 고래를 덮는 구들장의 크기와 밀접한 관계가 있다. 궁궐에 쓰인 구들장은 대부분 상당히 큰 것으로 일반 서민들이 쓰던 구들장에 비하면 정교하게 잘 다듬어진 돌이다. 구들장의 크기는 보통 600mm~800mm이다. 따라서 고래의 폭도 400mm 이상인 경우가 많다. 고래의 폭은 구들장이 열기와 닿는 면적을 말한다. 방안에 열기를 전달하는 가장 중요한 매개체는 구들장이다. 구들장은 열기를 받아 방 안으로 전달을 한다. 방안에 깔려 있는 흙은 구들장의 울퉁불퉁한 상태를 평평하게 만들어 주고 돌과 돌 사이의 간격을 메워주어 연기가 새는 것도 조금은 막아준다. 그리고 흙 위에는 종이 도배를 통해 숨을 쉴 수 있도록 마감을 한다.

구들장 해체 후 실을 띄워 고래의 위치와 모양을 기록하고 있다.

그렇다면 고래둑의 폭은 얼마나 될까?

고래둑은 양 옆으로 구들장을 받쳐주는 역할을 감안하여 만든다. 하지만 고래둑이 하나로 만들어지는 게 아니라 대부분 무언가를 쌓아서 만들게 되며 벽돌 등의 자재를 고려한다면 그 폭은 대략 200mm~250mm이다.

고래둑의 폭이 200mm에서 결정이 되면 고래의 폭도 결정이 된다. 우리나라 방의 용도로 보면 방에서 식사도 하고 잠도 자고 책을 읽기도 했다. 사람의 인체척도로 보면 아무리 작아도 8자 방부터 시작한다. 즉 2.4m 정도는 된다는 뜻이다. 보통의 방은 12자에서 14자 방 사이이거나 3.6m에서 4.2m 사이이다. 이때 시근담은 100mm~200mm 내외가 된다. 수강재의 큰방은 시근담이 200mm이며 남은 방의 폭은 3400mm에서 400mm를 제외하면 3000mm이다. 고래둑의 폭은 250mm~300mm이다. 따라서 고래의 폭은 400mm 내외에서 결정된다.

고래의 폭과 깊이는 다양한 변수에 의해 좌우되지만 어느 정도 정해진 규모와 크기를 감안하면 그 의미를 이해할 수 있다. 그건 시근담의 폭과 고래둑의 폭이 어느 정도 정해져 있기 때문이다. 그리고 우리나라 구들방의 크기도 어느 정도 정해졌기 때문이다.

일반 주택의 구들방 고래를 적벽돌로 켜서 전체적인 열기의 흐름을 파악해 보고 있다.

평평한 고래바닥과 경사가 있는 고래바닥

수강재 큰방과 작은방의 고래 바닥은 함실에서 고래개자리까지 살짝 경사가 있다. 고래의 기울기는 있을 수도 없을 수도 있다. 수강재도 마찬가지다. 해체 시 확인했던 그 모습일 수도 있는 반면에 해체하는 과정에서 고래둑의 흙이 무너지거나 그 이전에 수리하면서 생긴 경사진 부분까지 모두 다 원래의 모습이라고 말하기는 어렵다.

수강재 큰방의 경우, 무너진 흙을 조심스럽게 걷어낸 후 살펴본 바에 의하면 고래둑의 맨 아래 전돌의 위치는 그 높이가 같았다. 이것은 시사하는 바는 크다. 이러한 상황을 설명하기에 앞서 구들을 놓는 순서를 알아 두어야 한다. 구들을 놓다 보면 반드시 지켜야 하는 흐름이 있다. 가장 먼저 할 일은 집 전체에서 구들방의 위치와 건물의 높이를 살피고 함실아궁이와 굴뚝의 위치를 결정한다. 그 다음 방의 최종 방바닥 마감선을 결정하고 불기운을 어떻게 배분할 것인지를 생각한다. 그렇게 되면 고래개자리의 위치가 결정되고, 그 다음에 시근담이 결정된다. 일의 순서 또한 같은 순서로 진행해야 한다.

다시 말해, 함실과 고래개자리가 결정되고 만들어지면 자연스럽게 고래바닥이 형성된다. 즉, 고래바닥이 일정하게 먼저 만들어져야 한다는 뜻이다. 고래개자리와 함실의 관계를 이해한다면 당연히 고래바닥은 평평해야 한다. 고래개자리의 깊이와 함실바닥의 깊이가 같게 만들려면 방바닥 마감선에서 역으로 계산해서 내려가야 한다. 전체적으로 높이를 맞추고 고래개자리 위부분과 방 외곽선을 따라 일정하게 시근담을 만들어야 한다. 이 때 높이가 맞지 않으면 절대로 만들 수가 없다. 시근담이 다 만들어지면 고래둑을 설계하고 고래를 켜게 된다. 고래둑의 높이는 일정하게 만들어져야 수강재 큰방에서 본 바와 같이 고래둑 맨 아래 전돌의 높이가 같아 구들돌을 제대로 얹을 수 있고 방바닥을 마감할 수 있다.

그럼 왜 기울기가 생기는 건가. 그건 고래의 끝에 설치되는 바람막이의 영향이 가장 크다. 바람막이는 열기가 빨리 빠져나가는 현상을 막아주고 열기의 배분을 효율적으로 하기 위해 설치하는 것이다. 이 바람막이를 설치하고 바람막이 부분을 흙으로 비스듬히 메워주게 되면 자연스럽게 경사가 생기게 된다. 하지만 방의 외곽으로 있는 고래 부분은 경사가 없는 부분도 있다. 이유는 함실에서 먼 부분으로 열기를 보내려 애를 써도 잘 나가지 않는데, 게다가 바람막이까지 하면 열기는 더욱 더 안 나간다. 그렇기 때문에 바람막이는 없고 당연히 기울기도 없다.

작은방의 함실 앞에 있는 고래는 다른 고래에 비해 살짝 깊기도 한데 고래개자리를 향해 더욱 깊어져 있다. 기울기가 있는 것이 아니라 반대로 깊고 더 깊다.

이처럼 고래의 기울기는 있기도 하고 없기도 하다. 구들을 놓는 사람에 따라 자연스럽게 고래의 기울기를 주기도 하지만 무조건 기울기를 주어야 한다고 생각지는 않는다. 대방 구들을 예로 살펴보면 알 수 있다. 송광사의 큰방은 가로가 5.2m이고 세로는 13.75m이다. 이 방에 살짝 이라도 경사를 주어야 한다는 논리로 보면 함실 위의 흙은 1m도 넘을 것이다. 회암사지의 서승당지는 구들의 규모가 100평이 넘는다. 무조건 경사를 주어야 한다는 것은 설득력이 떨어진다.

실제 현장에서 일을 하는 입장에서 이야기를 해 보자. 기울기가 있는 방바닥을 만들고 그 위에 시근담을 벽돌이나 돌을 이용해 일정한 높이로 만드는 것은 참 어렵고 시간이 많이 소요되는 일이다. 위의 방바닥은 당연히 평평하게 만들어야 한다. 그렇다고 윗목은 얇고 아랫목으로 갈수록 두꺼운 돌을 이용한다는 것은 말이 안 된다. 평면을 만들고 마감을 생각하여 작업을 한 후, 필요한 부분과 필요한 만큼 되 메우기를 통해 경사를 만드는 것이 현명하다.

부실공사로 연기가 샌 구들방을 해체하고 고래바닥을 정리한 상태이다. 벽쪽으로 연기가 새어나와 검게 변한 모습을 볼 수 있다.

6 고래개자리

▌큰방 고래개자리

큰방의 고래개자리는 줄고래 형태로 함실의 반대편에 일자 형태로 만들어져 있다. 그 폭은 400mm이고 길이는 3,120mm이다. 깊이는 다른데 한쪽은 고래바닥에서부터 800mm이고 반대편은 1000mm이다.

고래개자리의 폭은 꽤 넓은 편이다. 300mm~400mm를 기준으로 보았을 때 약 100mm 정도는 더 넓어 보인다. 방 크기가 많은 영향을 주었을 것으로 생각된다. 큰방은 방 안쪽의 실내 크기가 3420mm, 4700mm으로 약 4.9평 가까이 된다. 이 정도 방의 연기를 당겨주려면 고래개자리의 크기도 어느 정도 큰 것이 좋다.

시근담이 전돌만으로 깔끔하게 되어 있었던 반면에 고래개자리는 전부다 전돌로 만들지 않았다. 아래기초 부분은 자연석을 이용했고 위로 올라올수록 전돌을 사용하여 높이를 맞추었다. 이런 점은 아래 부분에 큰 돌을 이용하여 혹시 모를 무너짐을 대비해서 한 것이 아닌가 싶다. 고래개자리의 큰 돌을 이용한 점을 보면 확실히 알 수 있다.

이런 고래개자리의 바닥 깊이는 건물의 바깥마당과 비교한다면 마당보다는 위에 위치한다. 따라서 주변의 건수에 의한 습기의 침투를 사전에 방지할 수 있다.

수강재 큰방의 고래개자리를 자로 측정해 보니 얕은 쪽도 고래개자리 바닥에서 고래바닥까지 800mm이다.

이 고래개자리에는 두 개의 연도구멍이 있다. 하나는 남쪽 방향에 위치해 있고 그 크기는 폭 400mm, 높이 600mm로 꽤 크다. 벽 쪽에서 340mm 이격하여 만들어주었으며 큰 돌과 전돌을 이용하였다. 이 연도구멍은 직선 방향으로 2m 정도 이어지다가 북쪽방향의 굴뚝을 향해 만들어졌다. 건물의 외곽에서 연도의 길이를 측정해 보면 2m, 3m, 6m로 굴뚝이 있는 기단 끝까지가 약 10m에 이른다.

반대편에 있는 연도구멍은 위에서 보면 있는지 없는지 잘 모를 정도로 아래쪽에 위치하고 있다. 기초석 아래로 만들어져 있어 거의 보이지 않는다. 이 연도구멍은 고래개자리 바닥에서 180mm 정도이고 직선방향으로 2.5m를 나가서 굴뚝이 있는 기단까지 6m 길이의 연도와 연결된다.

고래개자리에는 연도구멍이 두 개 있는 것으로 보아 배연과 불기운의 조절과 관련 있다고 판단된다. 함실장은 정면에서 보았을 때 약간 왼쪽으로 치우쳐져 있다. 오른쪽 방향으로는 뒷방과 연결된 문이 있고 뒤로는 다락이 있다. 따라서 중앙부분과 남쪽 방향으로 중심을 잡은 것으로 볼 수 있으며 큰 연도구멍을 설치해서 당겨주는 역할을 하게 했다. 하지만 작은 연도구멍을 설치하고 연도를 하나 더 만들어 준 것을 보면 반대편의 긴 방에서 연기의 당김이 약해졌을 때 북쪽 방바닥으로의 열기 배분이 약할 수 있다고 판단한 듯싶다.

사진의 오른쪽 고래개자리 맨 아래쪽에 연도로 이어지는 작은 구멍이 있다. 왼쪽의 큰 연도 구멍과는 대조적이다. 사진에서는 잘 보이지 않는다.

▌작은방 고래개자리

함실장의 위치로 살펴보면 함실장 반대편에 중간 고래개자리가 있고 함실의 오른쪽 끝에 고래개자리가 있는 형태이다. 즉, 함실을 중심으로 본다면 'ㄱ'형태로 고래개자리가 있는 상황이다. 그런데 함실 앞의 '_'모양의 고래개자리는 그 깊이가 아주 낮다. 왼쪽에서 오른쪽으로 가면서 깊어져 오른쪽 'l' 모양의 고래개자리와 만나는 형태인데 오른쪽 개자리는 폭이 400mm이고 길이는 2000mm로 일반적이다.

방은 4730mm와 2200mm로 길쭉하게 생겼다. 짧은 쪽은 한 사람이 누우면 꽉 찰 정도로 폭이 좁다. 그런데 긴 길이는 좁은 폭의 2배가 넘는다. 이러한 방의 형태에서 함실이 넓은 면 한쪽으로 치우쳐져 있다는 것은 도무지 이해가 되지 않는데 고래도 부채고래이다. 여기서 고래개자리의 위치가 함실에 반대편에 있는 것은 맞지만 폭이 좁다 보니 함실 반대편에 개자리를 두면 함실장 끝에서

작은방 함실 반대편에 있는 고래 속의 모습이다. 이 사진을 자세히 살펴보면 오른쪽으로 턱이 진 것을 알 수 있다. 오른쪽은 부채고래와 연결되는 부분으로 왼쪽보다 높고 고래바닥 깊이가 다르다. 좀 더 자세히 보면 앞으로 가면서 점점 깊어졌음을 알 수 있다.

작은방은 방의 크기에 비해 큰 연도가 2개나 있다.

고래개자리까지의 길이가 1m 정도 밖에 나오질 않는다. 그랬을 때 고래개자리는 너무 넓게 놓여진다. 따라서 함실의 가장 먼 면을 고래개자리로 잡고 설치하였다. 함실 앞쪽의 긴 고래는 중간 개자리로 열기를 당겨주는 역할도 하지만 열기를 머물게 하는 역할을 하기도 했을 것으로 추정된다.

중간 개자리 역할을 하는 고래는 함실에서 가까운 쪽은 살짝 낮고 중심부분의 고래개자리 쪽으로 가면서 깊어진다. 따라서 당겨진 열기는 그 안에서 구들장으로 열기를 보내고 남은 연기가 깊은 고래개자리로 갈 것이다. 하지만 여기서도 기울기가 있으므로 따뜻한 공기는 다시 위를 향한다. 이런 이유로 고래에 기울기를 주었을 것이다.

작은방의 고래개자리는 기초석과 전돌을 이용하여 만들어져 있다. 큰방과 동일하게 개자리 중심부에 아주 큰 기초석을 놓고 그 주변을 전돌로 연도 구멍을 만들어주었다. 이 정도 크기의 기초석이면 집의 기초부분부터 고려가 되지 않으면 나중에 넣을 수 있는 상황으로 보여 지지 않는다. 큰방과 작은방 모두 기초 작업을 하면서 연도와 고래개자리 부분이 준비된 것으로 보여지는 대목이다. 작은방 역시 크기에 비해 연도가 2개이다. 연도 구멍의 크기가 상당히 큰 편으로 2개 모두 폭이 400mm이며 높이가 300mm이다. 아마도 원활한 배연을 위해 이렇게 설치한 것으로 보인다.

수강재는 1848년 중수하였다는 기록이 있고 최초의 지어진 연대는 1785년으로 기록되어 있다. 최초 연대로 보면 230년이 넘은 건축물이다. 중간 중간에 보수를 한 흔적이 보인다. 분명한 것은 고래개자리와 같은 큰 골격은 애초에 만들어진 그대로라는 사실이다. 그 오랜 세월 동안 무너지거나 망가지지 않았다는 사실에 놀랍다. 한 번 놓이면 백 년 이상 쓸 것을 염두에 두고 만들었다는 점이 새삼 많은 생각을 하게 한다.

사석에서 할 수 있는 우스운 얘기가 있다. 집주인이 시공자에게 "얼마나 갈까요?"라고 물었더니 "좀 쓰다 고쳐야지요. 평생 쓸려고 생각했어요?" 라고 했단다. 수강재처럼 200년이 넘었는데도 멀쩡하게 다시 사용하는 것과는 판이하게 다른 격이 느껴진다.

구들은 특성상 다 만들어지면 땅속에 묻혀 보이지 않는다. 하지만 정성을 다하지 않으면 사람이 생활하면서 반복적으로 눌리는 그 하중에 무너지거나 망가질 가능성이 높을 수밖에 없다. 또 단 10mm라도 주저 앉으면 틈이 생기고 그 틈으로 연기는 어김없이 새어 나온다.

연도 구멍을 만들기 위한 기초석 치고는 상당히 고급스럽고 크다. 구들을 수리한 흔적이 없는데도 상당히 튼튼하다. 전혀 수리를 하지 않아도 되는 상황이다.

▌고래개자리의 깊이와 연도구멍의 위치

수강재 두 방의 고래개자리 깊이는 모두 함실 바닥과 비슷했다. 앞마당에서 보면 방바닥의 높이는 1m가 넘는다. 뒤뜰은 앞마당에 비해 약 200mm 정도가 더 높다. 그리고 그 뒤로 석축을 쌓아 언덕과의 구분을 만들었다.

고래개자리의 깊이는 집짓기의 전체적인 시각에서 봤을 때 생각해야 할 것이 몇 가지 있다. 집을 지면에서 1m 정도 높여서 짓는다면 고래개자리 만들기는 훨씬 수월할 것이지만 만일 낮은 집이라면 개자리가 깊게 형성될 수 있도록 그만큼 땅을 많이 파고들어 가야 한다. 깊게 가면 갈수록 주변의

창덕궁 서향각의 고래개자리에서 연도로 이어지는 부분이다. 아래로 깊이 떨어지고 있다. 바깥쪽으로 보이는 구멍이 외부 연도 구멍이다.

건수가 집으로 몰릴 가능성은 점점 높아진다. 우리나라는 대부분 산악지형이어서 평지보다는 산자락 아래에 집을 많이 짓는다. 산자락을 깎아서 집터를 만들다 보니 건수가 몰릴 가능성은 점점 높아질 수밖에 없는 조건이다. 하지만 수강재의 두 개자리는 모두 눅눅해 보이지는 않았다. 고래개자리 바닥이 지면보다 깊지 않다는 뜻이기도 하다.

구들에서 고래개자리가 깊을수록 연기를 당기는 힘은 강하다. 궁궐에서 연도 구멍의 위치는 당연히 고래개자리 맨 아래쪽이다. 수강재도 마찬가지로 맨 아래에 있다. 이것은 가운데나 위로 올라올수록 위치상으로 볼 때 지표면 위로 드러날 수 있기 때문이다. 우리나라 궁궐 가운데 연도가 땅 위로 올라와 있는 연도는 거의 없다. 다만 예외적으로 경복궁 만춘전 등이 올라와 있는 경우도 있다. 하지만 집이 낮게 지어지면 고래개자리가 깊어지기 어렵고 연도 또한 길어지지 않고 굴뚝은 방 벽과 붙여서 만들게 된다. 우리나라 궁궐 대부분은 1m 이상 들려 지어졌음을 쉽게 볼 수 있다. 따라서 연도 구멍과 연도의 연결은 고래개자리 바닥에서 수직으로 경사져 연도와 이어진다.

구들에서 고래개자리는 함실에서 나온 열기와 연기를 모아 연도와 연결되어 굴뚝으로 연기를 보내는 역할 혹은 연기를 당기는 역할을 한다. 다양한 구들의 형태가 있으며 모든 구들의 핵심은 고래개자리다. 어떻게 열기를 배분하고 배분된 열기를 함실에서 가장 먼 곳까지 당겨 주느냐가 관건인 것이다. 이런 고래개자리가 길게만 표현되는 것은 아니다. 어떤 형태든 어느 곳에 위치하든 당길 수 있는 그 역할을 수행할 수 있다면 좋은 것이다.

▌줄고래에서 고래개자리의 크기와 위치

우리나라 구들에서 가장 이론적으로 접근하기 어려운 부분이 고래개자리이다. 왜 갑자기 끝 부분이 깊은 고랑의 형태를 취하고 있는가 또는 그 크기는 왜 이런가에 대한 생각을 하기란 쉽지 않다.

함실에서 발생된 에너지는 방바닥을 덥히고 연기와 함께 배출이 되어야 하는데 함실은 방보다 작다. 작은 함실에서 넓은 방으로 골고루 열기를 퍼드리는 것이 고래이다. 넓게 퍼진 고래는 나중에 방 밖으로 나가는 연도로 모아져야 된다. 따라서 넓게 퍼진 연기와 공기를 모아주는 역할을 해야 하는 공간이 필요하다. 이 공간이 바로 고래개자리이다.

고래개자리의 크기는 얼마만큼의 에너지를 받아들이느냐에 따라 결정된다. 에너지의 양은 방 크기, 고래의 크기와 상관관계를 갖는다. 외줄 고래라면 고래개자리는 폭이 좁고 깊을 것이고, 고래가 2개, 3개, 4개, 5개로 늘어난다면 고래에서 밀려오는 열기를 받아들여야 하는 만큼 공간이 필요하다. 그렇다면 고래개자리의 폭이 얼마만큼 넓어지고 얼마만큼 깊어질 수 있을까.

고래개자리도 구들장으로 덮어야 하므로 무작정 넓어지기는 어렵다. 큰 구들장이 있다 하더라도 크기가 얇고 넓어지면 깨지기 쉽다. 개자리의 길이는 고래와 고래둑의 폭과 같게 되고 깊이는 함실의 바닥과 같게 한다. 따라서 개자리의 폭은 250mm~400mm 내외에서 결정되고 깊이는 고래바닥에서부터 함실바닥 깊이와 같은 500mm내외가 된다.

이렇듯 고래개자리는 방바닥의 한지장판부터 보면 꽤 깊다. 고래개자리는 대부분 함실의 반대편에 위치하며 함실은 방안의 구조로 보아 안쪽에 위치한다. 그렇다보니 함실이 방문 앞에 위치하는 경우는 거의 없지만 개자리는 문이 있는 위치와 비슷하게 놓이는 경우가 많다. 이때는 무너지지 않도록 튼튼하게 시근담과 고래둑을 만들어주어야 된다.

400mm 정도로 넓고 함실 바닥과 같은 깊이로 개자리가 만들어지면 그 고래개자리로 밀려온 열기는 많이 식기 마련이다. 고래개자리 속에서 뜨거운 열기는 위로 다시 올라가고 식은 공기와 연기는 아래의 고래개자리와 연결된 연도로 움직인다. 고래개자리는 열기를 머금고 있는 공간이라기보다는 연도를 통해 나가야 할 연기와 식은 공기를 모아주고 당겨주는 역할을 한다.

일반적인 고래개자리에 대한 다른 생각들

구들을 잘 놓은 구들장이는 고래개자리의 의미를 아주 잘 알뿐만 아니라 활용도 잘 한다. 이를테면 굴뚝으로 나오는 연기를 항상 평평 나오게 하는 것이 아니라 흐물흐물 나오게 해야 한다. 즉, 열기를 방에 모두 내어 놓게 해야 한다.

그렇다면 고래개자리는 무조건 함실의 반대편에 긴 도랑의 형태로 놓일까? 그렇지만은 않다. 이 부분을 이해하기에 앞서 구들이 처음 시작된 상황을 생각해 보아야 한다. 초창기 구들은 분명히 외줄 고래였을 것이다. 움막이나 동굴과 같은 비바람을 피하는 구조에서 추위와 음식조리를 위해 불을 피웠을 것이고 그 불의 연기를 내보내기 위한 긴 통로 즉, 고래를 만들었을 것이다. 이런 상황이라면 아마도 개자리는 없었을 것이다. 불을 피우는 위치와 연기가 나가는 고래의 높이에 그리 큰 차이가 나질 않았을 테니까. 그러다가 불을 피우는 위치를 좀 더 낮게 하고 연기가 지나가는 통로의 높이는 높게 하면서 그 위의 따뜻함을 이용했을 것이다. 자연스럽게 그 따뜻한 면적도 넓히기 시작했을 것이다. 넓어지는 면적이 커지면서 외줄고래는 두 줄이 되기도 하고 흩어 놓으면서 그 위를 덮을 수 있는 돌에 따라 고래의 형태는 다양해졌을 것이다. 따라서 고래개자리는 긴 일자의 형태가 아니었을

원형 고래둑 모양으로 가운데에 고래개자리가 있고 고래바닥 아래에 연도가 설치된 사례이다.

수도 있다. 이런 움막의 형태와 집의 형태가 처음부터 네모난 형태가 아닐 수도 있을 것이며 동그란 형태이거나 두 개의 방이나 한 칸 건너 방이 있는 형태 등 다양해 졌을 것이다. 고래개자리는 방의 중앙에 위치하기도 하고 건넌방을 보내기 위해 중간 개자리를 만들기도 했을 것이다.

한 자리에서 피웠던 불을 움직여야 했을 때 불이 움직이는 방향에 따라 무언가로 영향을 줄 수 있어야 했을 것이고 이때 필요한 것 중 하나가 바로 고래둑과 고래개자리이다. 다양한 형태를 가진 개자리는 보통의 고래개자리처럼 긴 도랑의 형태가 되기도 하고, 아궁이에서 고래로 넘어 가면서 약간의 둔덕과 둔덕 아래의 패인 상태가 될 수도 있고, 항아리 하나를 묻어 두는 형태가 되기도 한다. 또 그 위치는 고래의 중간이 있기도 하고 동그란 방 형태에서는 한 가운데 있기도 한다.

연도가 구부러져 가면 그 길에 중간 개자리를 만들어주기도 한다. 경복궁 함화당의 경우 길고 깊은 도랑 형태의 개자리는 없었다. 다만 연도로 이어지는 부분에 깊은 구멍이 있었으며 이 깊은 구멍이 개자리의 역할을 했던 것이다.

이러한 상황은 행랑채를 보면 쉽게 이해된다. 행랑은 함실의 높이가 거의 없다. 따라서 개자리의 깊이도 거의 없고 연도 또한 벽과 붙은 굴뚝으로 없는 경우가 많다. 자연스럽게 아궁이의 높이가 없어지면 개자리의 깊이도 없어진다.

경복궁 함화당의 고래 끝부분을 내려다 본 그림이다. 깊게 만들어진 통로가 개자리 역할을 하고 있으며 맨 아래는 연도로 이어진다.

7 구들장

●●●
▎구들장 해체

부토 속에 숨겨진 구들장의 모습을 보기 위해 조심스럽게 흙을 걷어냈다.

구들장은 상당히 아름다웠다. '아름답다'라는 단어를 사용한 건 아마도 그 구들을 놓았을 그 시대의 구들장이들의 정성이 필자의 마음으로 전해졌기 때문이다. 그들의 정성이 고스란히 느껴진 데에는 구들장 형태와 상태만 봐도 한 눈에 알 수 있다. 구들장은 원형 그대로의 돌이 아니라 하나하나 정으로 다듬어 네모지게 만들어져 있었다. 일일이 정으로 쪼면서 튀어나온 부분은 잘 다듬어 모양을 만들고 너무 두꺼운 돌은 얇게 만들고 얹어질 부분을 위와 아래로 구분하여, 고래둑에 걸쳐지는 구들장의 외곽 테두리는 조금 얇게 만든 흔적이 보이기도 했다.

구들장은 고래를 지나가는 열기를 온 몸으로 받아 방안으로 전달한다. 하지만 직접적으로 불이 닿지는 않는다. 예외적으로 닿는 경우도 있다. 보통은 함실장이 불을 직접적으로 받고 뜨거워진 열기를 받는 것이 구들장이다.

전체적인 구도를 보면 방의 모퉁이 쪽은 넓은 돌이 필요하다고 판단한 듯 큰 돌을 먼저 배치한 것이 눈에 들어온다. 개자리 폭이 400mm이므로 개자리 부분의 구들장은 네모지고 다른 구들장보다 크다.

요즘에 주로 쓰는 현무암 구들장은 기계로 가공하여 사용하기가 매우 편리하며, 크기는 가로 세로 500mm이고 두께는 50mm 정도이다. 이에 비하면 수강재에서 발견된 구들장의 크기는 상당히 큰 편이다. 구들장 겸 함실장으로 쓰인 돌은 그 크기가 무려 가로 1400mm~1500mm, 세로 600mm~700mm이고 두께는 170mm~200mm이다. 대부분은 가로 세로 600mm 정도이고 두께는 50mm~80mm 정도지만 큰 돌의 경우 가로 800mm~900mm 세로 600mm~700mm이다. 크기도 크기지만 그 모양새에서도 정성을 다해 다듬었다는 것을 알 수 있다.

창덕궁 서향각 구들방의 구들장이다.

구들장은 열기를 전달하는 역할을 하지만 축열의 기능도 함께 한다. 크면 클수록 좋겠지만 너무 커지면 작업이 용이하지 않고 덥혀지는데 많은 시간이 소요될 수 있다. 보통 봄, 가을에는 2~3일에 한 번씩 불을 피우고 여름에는 불을 피우지 않는다면 너무 두꺼울 필요는 없다.

수강재의 구들장은 함실장을 포함하여 큰방은 44장이 사용되었다. 요즘 쓰는 500mm× 500mm×50mm로 사용했다면 적어도 70장은 사용되었을 것이다. 작은방은 28장이 사용된 것으로 요즘 구들장으로 보면 최소한 40장은 사용되었을 것이다. 그 만큼 본래의 돌이 상당히 큰 돌이었음을 알 수 있다. 두 방 모두 함실장이 구들장의 역할을 동시에 하고 있었다.

구들장과 구들장 사이는 새침을 놓았는데 주로 와편을 사용했다. 해체하면서 쓸 만한 와편은 별도로 담아 보관하여 복원 시 사용하였다.

구들장을 해체하면서 일정 부분은 고래둑 위에 바로 놓인 것이 아니라 굄돌을 놓고 놓은 곳도 있었다. 여러 정황을 살펴보고 추측해 보면 이 방은 아주 오래 전이 아닌 근대에 수리했을 가능성이 높다. 전체적인 수리를 하면서 구들장이 약간 높아진 것이 아닌가 싶다. 열기의 흐름을 퍼뜨려주기 위해 윗목으로 가면서 굄돌을 사용한 흔적도 보인다.

작은방의 부토를 걷어내고 나타난 구들장의 모습이다.

구들장 놓기

구들장을 복원할 때 그 순서를 생각해 보면 해체했을 때의 순서를 반대로 하면 될까? 라고 생각할 수도 있겠다. 하지만 만약 오른쪽 함실장 끝에 있는 돌이 1번이라고 시작하여 기록을 남기고, 다시 구들장을 놓을 때 1번부터 놓으면 될 것 같은데 현장에선 꼭 그렇지는 않다. 이유는 구들장이 생각보다 잘 맞지 않기 때문이다. 어느 쪽이든 방의 외곽부터 구들장을 놓다보면 전체적으로 살짝 윤곽선이 맞지 않게 되는 경우가 많다. 어느 정도 맞더라도 시근담 방향으로 어느 한쪽으로 구들장이 몰려서 벽과 구들장 사이가 여유가 있어야 되는데 여유가 없는 경우가 생긴다.

따라서 당연한 절차지만 전체적으로 한 번 놓아 보아야 한다. 개자리가 있는 부분 중 가운데를 먼저 놓고 양 옆으로 밀어가면서 구들장을 놓는다. 이런 식으로 놓고 나면 한쪽으로 치우치거나 모자라는 부분을 발견하게 된다. 이런 부분은 약간씩 조정하여 먼저 자리를 잡고 새침을 통해 구들장과 구들장 사이의 틈을 메울 수 있는지 확인 후 개자리부터 하나씩 들어내어 다시 황토반죽과 작은 돌을 이용하여 구들장을 놓는다.

구들장을 놓을 때 주의해야 할 점은 흔들림이 없어야 한다. 자칫 잘못하면 어느 한쪽으로 흔들리는 경우가 발생할 수 있다. 이때는 흙으로만 잡으려 하면 안 되고 황토반죽과 작은 돌을 이용하여

큰방의 구들장을 복원하는 중이다.

큰방의 부토를 걷어내자 아름다운 구들장의 형태가 고스란히 보인다.

요즘은 대부분 현무암으로 된 구들장을 사용한다. 구하기도 쉽고 네모 반듯해서 작업하기도 매우 좋다. 물론 가격도 화강암에 비해 경쟁력이 있다. 다만 크기가 좀 더 크면 좋겠다는 것이 필자의 생각이다. 중국을 통해 백두산 현무암이 종종 수입되고 있어서 그나마 다행이다. 우리나라 최고로 높은 산 백두산의 정기를 받아서 따뜻한 구들방을 만드는 일에 큰 의미를 두고 싶다.

구들장의 평균적인 두께를 자로 측정하는 모습이다. 대부분 50mm~70mm 내외다. 화강암을 정으로 잘 다듬은 것이 예전의 노력을 느낄 수 있게 한다.

135

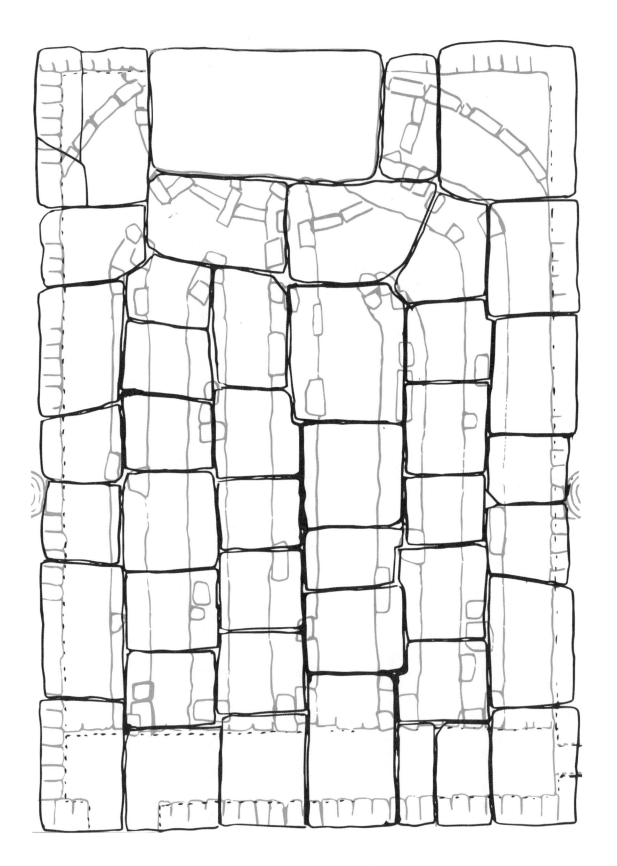

창덕궁 구들의 해체와 복원

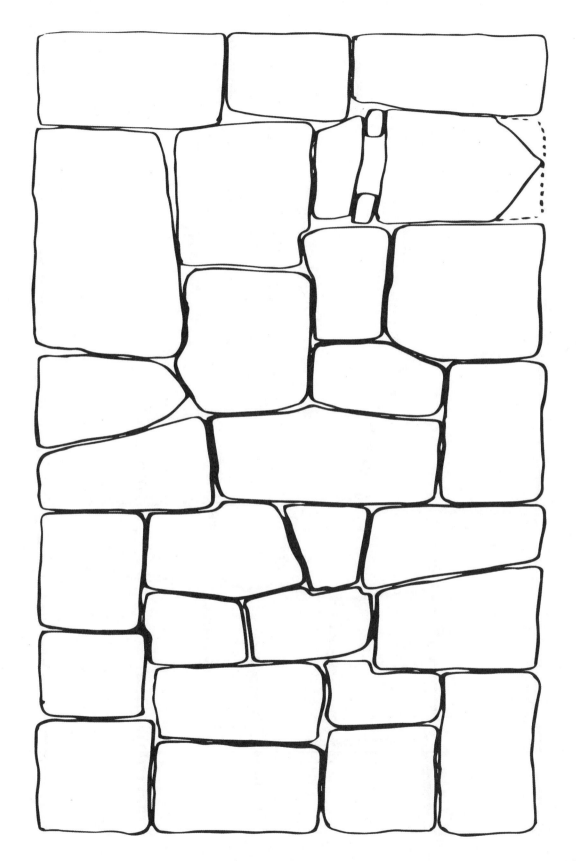

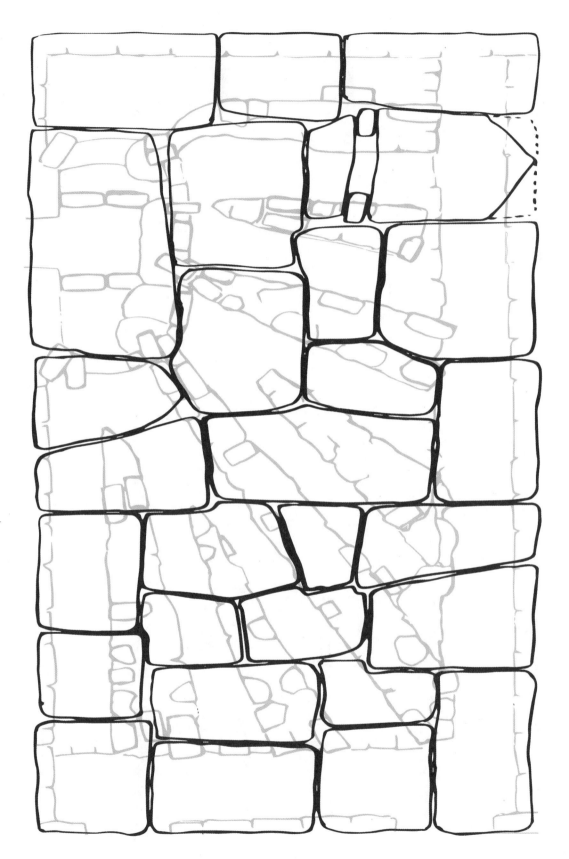

창덕궁 구들의 해체와 복원

흔들리지 않게 해야 한다. 이때 흙의 양을 많게 하면 쉽게 잡히는 듯 하지만 불을 피웠을 때 또 다른 문제점이 나타난다. 불을 피우면 구들장 안이 마르게 되고 그 흙도 마르면서 갈라짐이 발생하며, 마른 흙은 위에서 내리 누르는 하중에 바스러질 가능성이 높아진다. 갈라짐이 생기는 것은 머지않아 구들장에 움직임이 나타날 것이며 아울러 그 위의 황토미장은 깨지고 연기가 스미게 된다. 구들장을 놓으면서 한 가지 더 주의해야 할 점은 돌과 돌을 딱 붙여서 연기를 잡는 건 어렵다는 점이다. 틈을 메우기 위해 가까이 붙이는 건 좋지만 돌과 돌을 가까이 붙이는 것으로는 연기를 잡을 수 없다.

자연석으로 구들장을 놓다보면 구들장과 구들장 사이를 막아야 하는 상황과 마주하게 된다. 이러한 작업을 새침이라 한다. 틈새를 잘 막아주어야만 연기가 새지 않기 때문에 매우 어려운 작업이다. 이 틈이 일정한 것도 아니고 한 두 군데가 아니기 때문이다. 된 황토반죽을 만들어 막으면 좋으련만 그러기에는 좀 큰 틈도 있고, 와편이나 돌로 틈을 덮고 흙으로만 막으면 항시 나중에 흙이 마르면서 틈이 벌어지고 그 돌들이 움직이면서 연기가 샌다. 새침은 이런 틈새를 막아주기 위해 돌을 뽀족하게 만들어 막는 것을 의미한다. 벽돌망치로 돌이나 전돌, 와편 등을 치면 일정하게 돌조각이 떨어져 나오기 보다는 한쪽이 뽀족하게 만들어지기 쉽다. 이렇게 뽀족하게 만들어진 돌로 틈새에 끼워 밑으로 빠지지 않게 하면서 된 반죽의 황토와 함께 막아가는 것을 새침 놓는다는 표현을 한다.

연기가 샌다는 것은 이러한 틈을 정확히 정성스럽게 막아주지 않았다는 것이다. 새침은 구들장과 구들장이 서로 잡아주는, 흔들리는 것을 막아주는 역할도 한다.

8 부토와 황토미장

∎ 구들 방바닥의 근대 수리 흔적

방바닥의 종이 장판을 걷어내기 시작했다. 벽체의 맨 아래에 맞추어 칼로 종이장판을 잘라낸 다음 그 밑에 있는 황토를 걷어내려는 순간 아뿔싸! 종이 장판 밑에는 당연히 있어야 할 황토가 아니었다.

누군가에 의해 시멘트로 마감이 되어 있었다. 상상하지도 못했던 상상할 수도 없었던 문제에 직면하게 되었다. 만약 시멘트 마감이 전체적으로 많이 깔려 있다면 구들장과 시멘트를 분리하는 작업이 만만치 않을 수도 있고, 분리하는 과정에서 구들장이 손상될 가능성이 높기 때문이다. 근대에 와서 누군가가 그 시대 가장 잘 한다는 미장공이 아주 정성스럽게 했을 거라고 애써 위안도 해보고 이해도 하려고 애써 보았다. 하지만 궁궐 구들방에 시멘트라니 어이가 없었다.

다행히 큰방과 작은방 모두 약 20mm 정도의 시멘트가 얇게 덮여 있었다. 또한 작은방은 시멘트 미장 아래 부토가 깔려 있다. 30mm~50mm 내외로 부토의 두께는 그리 두껍지 않았다. 분리는 상당히 신중하게 진행되었다. 벽돌망치 외에 다양한 공구를 이용하여 아주 천천히 구들장이 망가지지 않도록 신중에 신중을 기했다. 심혈을 기울여 작업한 덕에 분리는 깨끗하게 이루어지기 시작했다.

오랜 세월이 이야기 하듯이 먼지 또한 대단했다. 그렇게 긴 세월의 무게가 어찌 분진 마스크 하나로 막을 수 있겠나 싶다. 목은 갈수록 따갑고 칼칼해져 왔고 간간이 생수로만 그 고통을 감내하면서도 묵묵히 분리작업에 힘을 쏟았다. 온 정성을 쏟아 이뤄낸 분리작업 중 드디어 드러낸 수강재의 구들장. 아! 그간의 힘들었던 고통이 한 순간에 녹아내리는 기분이었다. 무사히 드러난 구들장은 그 시절의 구들장이의 정성을 웅장함과 크기로 이야기 하고 있다.

구들을 해체하면서 나오는 시멘트는 바로 폐기물로 처리했고 흙 속에 묻혀 있던 와편 조각들을 모아 예전의 흔적을 다시 느끼도록 복원 시 사용하기로 했다.

▌부토와 초벌미장

구들장을 다 놓고 나니 언제 그랬냐는 듯이 다시 방이 살아나는 듯하다. 작은 돌과 와편 등을 이용해서 구들장 사이를 막아주었다. 틈새가 생각보다 크지는 않지만 그렇다고 쉽게 막아지지는 않았다. 구들장 틈새 사이를 모두 막고 나서 연기가 새는지 알아보기 위해서 불을 피웠다. 아무리 구들을 잘 놓았어도 연기가 새면 그 방은 쓸 수가 없기 때문에 불을 피워보는 것은 매우 중요한 과정이다.

연기는 새지 않았다. 이제 부토를 올릴 차례이다. 이전의 부토는 시멘트가 섞여 있었기 때문에 깨끗한 황토를 사용했다. 제일 먼저 원래의 방 높이를 고려해서 부토의 정도를 가늠해 보니 약 30mm~50mm 정도의 흙을 넣으면 되겠다고 판단했다. 부토의 양은 생각보다 많지 않았다. 전체적으로 방바닥의 흙 두께는 100mm 내외이다. 궁궐이라 어느 정도 관리가 되었을 것이라고 보면 그리 두꺼울 필요는 없었을 것이다. 이런 점은 지금의 현실에서도 비슷하리라는 생각이다. 현대의 건축물은 워낙 단열이 잘 되는 상황이다.

예전처럼 벽이나 창으로 빠져나가는 열기가 매우 적기 때문에 많은 양의 연료가 필요하지 않다. 또한 구들방의 쓰임새가 예전과 많이 달라졌다. 모든 공간이 구들방이 아닌 경우가 대부분이고 매일 쓰이는 구들방이 아니라면 부토의 양이 많을 필요는 없다.

방바닥 높이를 맞추기 위해 양쪽 벽에 실을 걸고 실과 실을 다시 연결하여 당기면서 높이를 맞추었다. 황토를 넣어주고 복원팀 전원이 모여 발로 눌러 다지기를 했다. 이렇게 초벌은 황토와 모래만을 가지고 배합했다.

마감 미장의 높이는 30mm 정도로 하고 안쪽부터 아래 부분까지 미장을 진행했다. 불을 피우고 마르기 시작하자 들고 일어나는 부분이 생기기 시작했다. 지속적으로 흙손으로 눌러주어 초벌을 마쳤다.

시멘트 미장과 황토미장

구들방을 보수하면서 가장 난감했던 때가 시멘트로 작업했던 부분을 확인했을 때다. 특히 방바닥의 경우가 가장 혼란스러웠다. 바닥의 마감은 보통 30mm~50mm인데 안에 철망이라도 깔려 있으면 작업은 더 어렵다. 밑에 있는 구들장이 손상되지 않도록 온 신경을 곤두세우고 작업해야 하기 때문에 일이 끝날 때까지 안심할 수가 없었다. 왜 시멘트를 썼는지 생각해 보면 간단하다. 일단 시멘트는 구하기도 쉽고 가격도 저렴하고 물과 배합이 되면 일정한 강도가 생기므로 작업이 쉽기 때문이다. 지금이야 시멘트에서 발생되는 독성이나 그 성질에 대한 논란에 당혹스러워 하지만, 수 십 년 전만해도 이러한 문제점들은 시멘트의 장점에 모두 묻혀버렸던 것이 사실이다.

구들방에서 흙과 시멘트에 대해서 이야기 해보자.

일반적으로 구들방에서 시멘트는 잘 쓰지 않는다. 현대인들이 전통적인 구들방을 만들 때는 그 만큼 예전의 향수도 있겠지만 건강과 친환경이라는 것을 우선으로 꼽기 때문이다.

그럼 시멘트는 친환경이 아니란 것인가? 친환경이라고도 할 수는 없지만 시멘트를 반드시 배척해야만 하는 것도 아니다. 현대는 시멘트가 차지하는 비중이 매우 크기 때문에 시멘트를 두고 친환경이란

말을 논하는 자체가 무의미한 것이 사실이다. 대형화된 공공건물이나 다양한 분야의 건축물에서 시멘트는 없어서는 안 될 중요한 재료이기 때문이다. 단지 시멘트에서 나오는 유해 성분을 어떻게 하면 줄일 수 있는가를 연구하는 것이 우리가 해야 할 과제이다

그에 반해, 우리가 만드는 구들방은 주변의 자연 소재 중 흙과 돌을 이용하여 만든다. 자연적인 돌은 모양과 크기가 일정하지 않지만 이를 잘 조화롭게 놓을 수 있게 접착제 역할을 하는 것이 바로 흙이다. 흙 중에서도 점성이 있는 황토를 사용한다. 많이 알려졌듯이 황토에서 나오는 원적외선은 면역력을 키워주는 등 사람들 몸을 이롭게 하는 요소를 많이 함유하고 있다. 이렇게 돌과 흙으로 만들어진 구들장의 온도는 뜨끈하다는 정도이지만 불이 직접 타고 있는 부분의 온도는 800도에서 1200도까지도 올라간다.

모든 물질은 열을 받으면 수축과 팽창이 나타난다. 흙보다 훨씬 단단해 보이는 시멘트도 열을 받으면 수축과 팽창이 나타나는데 그 수치가 흙보다 월등히 높다. 우리나라 70~80년대는 연탄보일러를 많이 놓았고 그와 함께 시멘트로 만들어진 구들장도 많이 보급되었다. 때문에 연탄가스중독사고가 많이 일어났다. 연료는 연탄이었다. 흙과 자연석 대신에 시멘트 구들장과 시멘트 미장 마감을 했던 구들의 구조가 문제였다. 흙과 시멘트가 열을 받으면 늘었다 줄었다 하는 팽창차이를 좀 과장해서 말하면 수십 배라고 할 정도로 많은 차이가 난다. 당연히 시멘트를 쓰면 틈이 갈라질 가능성도 훨씬 높다고 볼 수 있다.

황토로 마감한 부분은 지속적인 고온에 노출이 되면 도자기처럼 구워지며 단단해진다. 하지만 시멘트는 지속적인 열에 노출되면 부식되고 강도가 점점 떨어진다.

※황토는 열을 받으면 원적외선을 방출한다. 시멘트는 모래와 물과 함께 섞이면서 경화작용이 일어나는데 학계에서는 28일간 40%의 경화작용을 진행시킨다고 알려져 있고 이후 오랜 시간에 걸쳐 경화된다고 한다.

█황토 반죽

황토와 모래를 주로 배합해서 숙성 후 구들방 마감 작업을 할 때 사용한다. 사용하는 양과 쓰임은 조금씩 달리한다.

초벌에서는 황토가 1이면 모래를 3으로 하여 묽게 만들어 사용한다. 물론 황토가 모래 성분을 많이 가지고 있다면 모래의 양이 조금은 적어야 하겠지만 물은 1로 해서 잘 섞어 묽게 만든다. 이 때 반죽의 정도는 흙손으로 작업이 안 될 정도로 묽어서 긴 막대기로 펼치는 수준으로 한다. 그래야만 마른 부토 위에 생긴 작은 공간을 물과 황토와 모래가 메워주게 된다.

구들방은 장작을 연료로 사용하기 때문에 작은 연기와 나무 타는 냄새가 올라올 수 있다. 예전에는 집이 단열도 잘 안 되고 창과 문으로 공기의 소통이 지금보다 많이 이루어지는 부분이 있어서 약간의 나무 타는 냄새와 연기가 큰 문제가 되지 않았다. 하지만 요즘에는 방문을 닫으면 안에서 공기가 울리는 현상 즉 꽉 막혀 있다는 느낌이 발생한다. 단열이 잘 되는 집을 달리 표현하면 공기의 흐름이 거의 없는 집이라고 표현해도 아주 틀린 말은 아닌 거 같다. 이런 점을 보완해 주는 것이 1차 물미장이다.

방바닥을 마감할 때 구들장과 벽이 마주치는 부분을 잘 보완해 주어야 연기가 새지 않는다. 이 때문에 물미장에서 쓰는 황토와 모래를 사용할 수도 있지만 작업 현장에 따라 다른 방법을 택할 수

황토와 모래를 묽게 섞어 초벌마감을 하고 있다.

모래와 황토를 된 반죽을 만들어 구들장을 놓을 때 사용하기도 한다.

있다. 구들장은 그 크기도 일정하지 않지만 두께도 일정하지 않다. 시근담과 닿는 면도 모든 면이 닿는 건 아니다. 따라서 그 공간을 메워주는 것으로는 작은 돌과 황토반죽을 사용한다. 이 때 사용하는 반죽은 묽은 반죽으로는 좀 힘들다. 묽은 반죽은 잡아 주지 못하고 흐를 수 있고, 마르면서도 잡아주지 못할 가능성이 더 크기 때문이다. 그러므로 이때는 상당히 된 반죽을 사용하는 것이 좋다. 손으로 잡았을 때 공처럼 단단히 뭉쳐지는 정도는 되어야 작은 돌들과 함께 구들장을 잡아주게 된다. 오랜 세월 마르면서 아래로 내리는 하중을 지속적으로 받다보면 바스러질 수 있으므로 이런 것을 견디기에 좋은 것은 너무 묽지 않은 반죽이다. 그래서 구들장과 시근담과 만나는 벽과의 사이를 된 반죽으로 1차 메워준다. 된 반죽으로 인해 구들장은 움직이지 않고 고정된다.

그 위에 황토와 모래가 1:1 이상으로 섞인 묽은 반죽을 올려 준다. 이 묽은 반죽은 열을 받은 구들장으로 인해 생기는 된 반죽의 틈새를 메워주게 된다. 된 반죽도 흙이니 당연히 마르면 갈라진다. 그 위에 고운 모래를 깔아준다. 위의 모래는 반죽이 마르면서 생기는 간극을 묽은 반죽이 차지할 때 같이 스며들어 밀도를 높여주기 때문이다.

그렇다면 된 반죽은 어떻게 만들까?

물을 넣고 잘 젓기만 해서 만들어지지는 않는다. 수제비나 칼국수를 만들 때 밀가루반죽을 만드는 것처럼 황토와 모래를 잘 섞고 손으로 뭉치고 계속 주무르고 치대서 야구공의 2배 정도의 크기로 만드는 것이 좋다. 그 이상 되면 잘 뭉쳐지지도 않고 힘만 든다. 반죽이 잘 되어야 바스러지지 않고 단단히 잡아주는 역할을 한다.

모래를 깔아주고 그 위에 다시 부토용 흙이나 황토를 깔아준다. 이렇게 정성스럽게 벽과 구들장 사이를 막아주는 것은 연기가 샐 가능성이 가장 많기 때문이다. 연기가 새는 부분은 1차적으로

큰방의 구들장을 놓으면서 새침작업을 하고 있다.

함실부분이다. 장작이 타면서 팽창된 공기는 밀려 올라가면서 함실 주변으로 퍼져간다. 당연히 방으로 빨려 들어가지만 틈이 있다면 그 틈 사이로 나올 것이다. 함실장과 벽이 만나는 부분도 위와 같이 철저히 막아주어야 한다. 약 30mm 정도 떨어져 있으면 황토와 모래로 그 틈을 막기가 수월하다. 된 반죽은 황토로만 만들지 말고 모래를 섞어주는 것이 좋다.

다음은 구들장과 구들장이 마주치는 부분인데 이 부분도 묽은 반죽보다는 된 반죽을 이용하여 막아준다. 작은 돌이나 와편을 망치로 쳐서 뾰족하게 침처럼 만들어 그 사이를 막아준다. 막을 때는 구멍보다 조금 크게 만들어 아래로 빠지지 않게 하고 된 반죽과 함께 틈을 막아준다. 그냥 된 반죽과 돌을 얹어 놓고 흙으로 발라 놓으면 새지 않을 것 같지만 곧 연기가 샌다. 밀려오는 압력을 이기지 못하고 터지기 마련이다.

이처럼 구들장과 흙과 벽돌을 잡아주는 역할을 하는 것이 황토이다. 황토를 대신해서 시멘트를 쓰면 잘 잡힐 것 같지만 생각보다 잘 잡히지 않는다. 시멘트는 모래와 자갈과 물이 섞이면서 하나의 덩어리로 경화작용을 일으킨다. 구들 구조에서는 어떤 일정한 부분을 잡아주는 역할이 중요하다. 하나로 전체를 만들어주기보다는 다른 것과 다른 것을 잡아주는 역할을 해야 한다는 뜻이다. 따라서 시멘트는 열이 가해지면 서로가 늘어나는 성질이 조금씩 다르다 보니 균열이 생길 확률이 높다. 구들장과 벽 사이를 막는다고 볼 때도 마찬가지이다. 하지만 황토는 돌과 시근담의 벽돌과 벽에 있는 흙과 잘 조화롭게 하나로 만들어준다. 나중에라도 시근담 주변 흙을 걷어내다 보면 구들장과 따로 노는 것이 아니라 흙 속에 하나로 있는 듯한 느낌이다.

함실과 고래둑, 시근담을 만들 때의 황토 반죽

함실은 주로 벽돌과 화강석을 이용하여 만든다. 함실 특성상 그 위가 바로 아랫목이므로 높은 온도가 지속되고 아래로의 하중을 계속해서 받는 곳이다. 그렇기 때문에 함실의 구조는 돌들이 튼튼하게 맞물려 있어야 하고 함실장이라는 큰 구조물을 받쳐줄 버팀돌의 역할을 하는 굄돌도 든든하게 놓아야 한다. 함실에 쓰이는 황토 반죽은 될 수 있는 한 서로를 잡아주는 접착제 역할 정도가 좋다. 이는 황토반죽 자체가 무게를 받지 않아야 하므로 절대로 많이 쓰지 않는 것이 좋다. 이러한 점은 부토 위 황토와 다른 성격이다.

고래둑과 시근담은 장대석이나 전돌로 이루어져 있는 것이 보통이다. 시근담에는 전돌을 주로 사용했지만 고래둑에는 와편을 사용하기도 했다. 와편은 그 두께를 조절하기가 용이한 점이 있고 편편하여 사용하기가 좋다.

벽돌로 고래둑과 시근담을 만들어 줄 때 사용되는 황토반죽은 된 반죽보다 묽은 황토를 사용하는 것이 좋다. 황토의 양이 많으면 많을수록 마르는데 긴 시간이 필요하고 위에서 누르는 하중으로 바스러지고 무너질 가능성이 높기 때문이다. 와편인 경우 너무 묽으면 와편이 약간 휜 상태이기에 잡아주기가 어렵다. 때문에 약간은 된 반죽 상태의 황토를 사용하는 것이 좋다.

151

중성과 알칼리

수강재 구들복원 작업을 하면서 모든 일련의 작업에 시멘트를 사용하지 않고 진행했다. 황토는 손으로 만져서 작업을 해도 아무런 문제를 일으키지 않는다. 문제가 안 된다는 뜻은 중성에 가깝다는 뜻이다. 하지만 시멘트는 강한 알칼리성이기 때문에 맨 손으로 다루기가 힘든 물질이다. 이는 무엇이 나쁘고 좋다에 대한 얘기가 아니라 수 천 년 동안의 오랜 세월 사용된 흙으로 앞으로 다가올 세월까지도 이야기 하는 것, 또 그것이 후대에 남길 유산이라면 그것만으로도 큰 의미라고 생각한다.

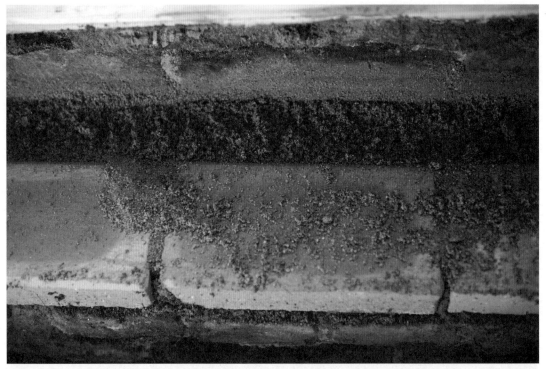

벽돌에 묽은 반죽을 전체적으로 묻혀서 고막이와 붙여주고 틈이 있다면 된 반죽으로 꼭꼭 눌러 넣어준다. 그 위를 묽은 반죽을 살짝 얹어주고 모래를 덮어주고 흙을 얹어준다.

9 구들방의 구조와 원리

■구들방의 원리 (공기의 무게 변화를 중심으로)

우리나라 구들방의 원리에 대해서 알아보자. 한 마디로 표현할 수 있을까. 공기의 흐름, 열기 축적,
바닥 난방 시스템, 황토, 구들장, 공기의 무게 변화, 오랜 역사 등등. 그리고 한 번 불을 지피면 무려
100일 동안 온기를 간직한다는 칠불사 아자방. 많은 단어들과 그 조합이 머리를 스치고 지나간다.

구들의 구조

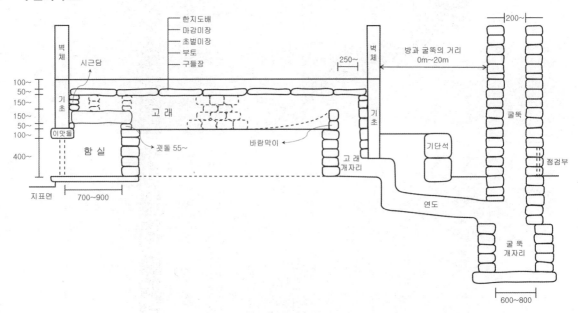

필자는 '공기의 무게변화' 측면에서 구들의 원리를 생각해 보았다.

우리나라는 사계절이 있는 나라이다. 여름에는 너무 더워 냉방이 필요한 시기이지만 장마철 습기제거 목적으로 난방을 돌리기도 하고, 봄과 가을에는 시원한 바람과 약간의 따뜻한 바람이 일어 활동하기 좋은 온도라서 일 년 내내 날씨가 이러면 좋겠다 라는 마음을 갖게 한다. 하지만 매서운 겨울 추위는 따뜻한 아랫목이 절로 생각나는 계절이다. 난방이 잘 돌아가는 집이라야 보금자리로서의 제구실을 다한다. 이렇듯 구들은 봄과 가을에 잠깐 불을 피우는 용도로, 장마철에는 습기 제거용으로, 겨울에는 주로 난방용으로 사용한다. 불을 피우는 시기는 바깥의 공기가 약 18도 아래로 내려가면서 체감온도가 좀 쌀쌀해졌음을 느꼈을 때다. 쌀쌀해진 구들방에 불을 지피기 시작한 것도 이때쯤이다. 이런 공기의 무게 변화가 일어난 구들의 공간에 대해서 이야기해 보자.

공기 무게 변화의 시작 함실

첫 번째로 불을 피우는 공간은 함실이다. 물론 맨 처음 불을 지피는 곳은 부뚜막 아궁이로 가마솥단지 아래가 되기도 하지만 요즘은 대부분 함실아궁이가 된다. 이유는 가마솥을 쓸 일이 많지 않고 열 손실이 큰 부뚜막 아궁이를 굳이 놓는 일이 없기 때문이다. 따라서 아궁이는 온전히 온돌방을 목적으로 하는 경우가 많고 필요에 따라서 한뎃부엌을 만들기도 한다. 함실은 구들방에 필요한 에너지를 만들어내는 가장 중요한 공간이다. 그런 만큼 함실의 크기도 적당해야 한다. 효율적인 함실의 크기는 그 안에서 타게 될 연료를 생각하면 쉽게 결정할 수 있다.

예나 지금이나 쉽게 구할 수 있고 경제적인 땔감으로 나무만한 건 없다. 나무의 크기는 사람이 적당한 힘으로 들 수 있는 크기와 도끼로 쪼개서 말리기 좋은 크기가 좋다. 사람들이 거주하는 방의 크기는 보통 가로 세로로 3m~4m를 넘지 않는다. 면적으로 10m²~15m²(3평~5평)를 넘지 않기 때문에 이 정도의 방을 데우는데 필요한 장작의 양도 어느 정도는 일정한 편이다. 봄부터 가을까지는 하루에 10kg~20kg 내외의 장작이면 충분하다. 물론 방이 아주 큰 경우는 함실 구조를 약간 다르게

함실 바닥 아래에 재 거름망을 설치하여 공기의 흐름을 도와 주고 있다.

할 수도 있다. 하지만 연료가 들어가는 함실 위를 자연물로 덮어야 하는 조건으로 본다면 함실을 무조건 키울 수는 없다. 함실 위를 덮는 재료 중 가장 좋은 자연물은 화강석이다. 주로 그 지역에서 나오는 것을 사용하며 한 번에 혹은 작은 크기로 여러 조각으로 막기도 한다. 무조건 크게 한 번에 막으면 좋겠지만 커진다는 것은 무게도 무거워진다는 것을 의미하기에 그리 만만한 일은 아니다.

위에서 언급한 연료의 크기와 소요되는 양과 부피를 감안하고 함실을 막아야 한다는 점을 고려해보면 함실의 크기는 무조건 크게 하는 것보다는 용도에 맞게 적당한 크기로 해야 한다. 함실을 앞에서 바라보았을 때 가로 600mm~800mm 정도이고, 높이는 400mm~500mm 정도, 깊이는 700mm~900mm 내외가 되었을 때 적당하다. 이 정도로 했을 때 나무가 잘 연소되고 방안으로 열기도 잘 전달할 수 있다. 중요한 점은 나무가 잘 연소가 되기 위해서 산소 공급과 그 뜨거워진 가벼운 공기가 빠르게 방으로 전달될 수 있도록 공간을 만들어줘야 한다. 즉, 공기를 지속적으로 잘 넣어 주었을 때 따뜻해지며 가벼워진 공기는 위를 향해 방안으로 이동하게 되는데 이때 방안으로 들어가는 열기 통로가 불목돌이다. 함실에서 방으로 들어가는 통로는 크지 않다. 좁은 통로를 지나가는 공기의 흐름이 빨라지면서 뜨거워지고 가벼워진 공기는 방 쪽으로 자연스럽게 빨려 들어가게 된다.

이런 함실 위가 바로 아랫목이 된다. 온돌방 아랫목의 장판지의 색이 검게 변한 것을 흔히 볼 수 있지만 아랫목인데도 장판지 색이 전혀 변하지 않는 경우도 있다. 그 이유는 제작방법의 차이 때문이다. 함실이 만들어지면 그 위를 큰 돌을 이용하여 덮는데 이 때 방바닥 마감까지의 높이 차이가 약 200mm~400mm이다. 이 차이를 여러 겹의 돌로 메워주면 그 열기가 직접 마감 장판지에 전달이 되어서 검게 변하게 되는 것이고 만약 중간에 공기층을 두고 구들장을 덮으면 직접적으로 열기 전달이 되지 않아 검게 변하는 것을 조금은 피할 수 있다.

사용되는 연료가 대부분 나무라 할 때 어떤 나무가 가장 좋을까. 사람에 따라서 참나무, 아카시아나무, 소나무 등 제각각 의견이 분분하지만 필자가 생각하기에 가장 좋은 연료로써의 나무는 잘 마른 나무이다. 어떤 나무도 마르지 않은 상태에서는 잘 타지도 않고 열기도 좋지 않다. 적당한 크기로 자른 나무를 1년 정도 말렸을 때 연료로 쓰기에 무리가 없다. 톱으로 자른 장작은 비를 맞지 않게 지붕을 만들어주고 옆으로는 바람이 잘 통하게 해주면 잘 건조된다. 한 가지 더 말하자면 장작을 쌓아 불을 붙일 때는 반드시 공기가 흐를 수 있도록 공기구멍을 만들어주어야 한다.

고래, 고래둑 그리고 바람막이

함실에서 유입된 뜨거워진 가벼운 공기는 고래를 따라 방안으로 퍼진다. 고래둑이 만들어주는 고래는 함실에서부터 함실 반대편까지 뜨거운 기운이 지나가는 통로를 만들어주고 이 통로를 지나면서 뜨거워진 공기는 방 위쪽으로 따뜻한 에너지를 전달한다. 따뜻한 공기는 방바닥에 에너지를 전달하고 함실에서 멀어지면서 점점 식는다. 식은 공기는 함실에서 열을 받아 팽창한 공기보다 무거워지는 성질을 가지게 되며 이 무거워진 공기는 함실 반대편에 있는 고래개자리로 향한다.

함실에서 나온 뜨거운 공기로 인해 방바닥이 따뜻해지긴 하지만 안타깝게도 따뜻한 공기는 그 열기를 방안에 골고루 전달하지는 않는다. 더워진 공기는 가장 빠르고 쉽게 갈 수 있는 길을 선택하여 그곳으로 많이 몰린다. 방안의 고래가 5개라면 각각의 고래로 20%씩 열기가 가면 좋겠지만 실상은 그렇지 않다는 뜻이다. 따라서 그 방향을 조금이나마 분배해 주기 위한 여러 가지 방법을 쓰게 되는데, 그 중 하나가 바람막이이다. 고래의 끝부분을 조금 막아주어 열기의 흐름을 차단해 주는 것으로, 열이 가장 빨리 가는 부분을 막아주고 열기가 좀처럼 가기 힘든 방의 외각은 막지 않고 열기를 유인할 수 있도록 한다. 간혹 방에 불을 넣으면 아랫목보다 정 중앙이나 윗목이 먼저 따뜻해지기도 하는데 이런 현상이 바람막이의 영향인 것이다.

창덕궁 서향각 고래와 고래둑이다. 고래둑이 긴 장대석으로 이루어져 있다.

고래개자리

여러 갈래의 고래로 흐르던 열기와 연기를 하나로 만들어 방 밖으로 나갈 수 있도록 돕는 것이 고래개자리이다. 고래의 끝에 위치하고 있는 고래개자리는 고래보다 움푹 패인 도랑의 모습을 하고 있다. 그 이유는 고래 끝까지 온 공기는 온도가 많이 낮아졌기 때문에 함실쪽 뜨거운 공기보다 무거운 성질을 갖게 되므로 위보다는 아래를 향하는 성질을 갖게 된다. 그렇지 않은 경우도 간혹 있기는 하다. 크기와 규모에 있어서는 어느 정도의 에너지가 모이느냐에 따라 결정된다. 앞에서 언급했듯이 우리나라의 방은 그리 크지 않았다. 두 사람이나 세 사람 정도가 잘 수 있는 크기의 방들이 가장 많다.

고래개자리의 크기는 고래가 만들어지는 폭과 관계가 깊다. 고래와 고래둑의 폭을 더 한 길이가 보통이고, 방이 옆으로 긴 경우는 긴 쪽 면에서 불을 피우게 되므로 이런 경우는 좀 다르게 운영된다. 고래개자리의 깊이는 함실의 바닥깊이와 같이 만들어준다. 고래개자리까지 온 공기는 많이 식은 상태에다 장작의 습기를 머금고 있어 무거워진 탓에 아래로 향하게 된다. 그 와중에 고래개자리 안의 더운 공기는 다시 방 위쪽을 향해 올라가고 연기는 습기를 머금고 한군데로 모여 굴뚝이 있는 바깥으로 향한다. 따라서 무거워진 공기가 빠져나간다고 생각해 보면 고래개자리에서 연도로 이어지는 공간이 고래개자리의 위쪽보다는 아래쪽에 있는 경우가 많다는 것을 알 수 있다.

하지만 고래개자리가 없는 경우도 간혹 있기는 하다. 특히 궁궐의 경우 장작을 직접 이용하기 보다는 숯을 이용하여 방을 데우기도 했다. 숯에서는 연기가 거의 없다고 보이고 습기 또한 나무보다는 훨씬 적기에 고래개자리를 만들어주기 보다 한쪽 끝에 깊은 도랑을 만들어주어 그곳으로 연기를 끌어당기는 역할을 하기도 했다.

▌연도와의 연결

일반적인 집은 지표면과 떨어지게 들려 짓는 경우가 드물다. 만일 들려 짓더라도 궁궐만큼 지표면에서 높게 올려서 지어진 집은 거의 없다. 궁궐의 경우는 보통 지표면보다 한 참 높게 짓는데 그 높이가 상당해서 연도와 연결되는 부분이 수직으로 내려가는 경우가 있다. 왜냐하면 연도는 바깥으로 나아가게 되면 지표면 아래 있어야 되는데 고래개자리 바닥과 지표면과 비교해 보면 고래개자리 바닥이 지표면보다 높은 경우가 발생하기 때문이다.

▌습과의 싸움

구들방에서 가장 취약한 것은 물이다. 흙과 돌로 만들어진 구조물이다 보니 물에 가장 취약할 수밖에 없다. 따라서 구들방 쪽으로 물이 가지 않도록 하는 것이 관건이다. 잘 보존되는 건물들을 보면 대부분 주변의 배수로가 잘 정비가 되어 있는 것을 알 수 있다. 한옥의 경우 기둥보 방식의 집이 대부분으로 비바람으로부터 보호하기 위해 처마를 길게 만들곤 했다. 긴 처마 아래로 떨어진 빗물로부터 집을 보호하기 위해 기단을 만들어주어 물로부터 집을 보호해 왔다. 하지만 세월이 흘러 불을 피우는 공간이 바깥의 지표면보다 낮게 형성되는 경우가 발생하고 그로 인해 불을 피우는 공간의 바닥은 축축하게 항시 젖어있는 경우가 많다. 구들은 그 구조상 땅속에 묻혀 있는 구조물이고 땅속에 일정한 공간을 황토와 돌로 만든 구조물이다. 따라서 주변의 물을 잡아당기는 성질을 가지게 되어 습한 상황을 만드는 경우가 많다.

▌연도

고래개자리에 모인 연기와 공기는 방밖의 연도를 따라서 굴뚝으로 가게 되는데 연도는 아주 살짝 굴뚝을 향해 기울어지게 하여 방쪽의 연도 부분이 굴뚝 연도보다 높게 한다. 이유는 연도까지 온 공기는 좀 더 식었으며 습기를 머금은 상태로 무거운 성질을 갖기 때문에 살짝 아래를 향하게 만들어주는 것이다. 이러한 연도는 짧게 1m도 안 되는 경우부터 20m까지 긴 경우도 있다. 연도가 길어지면 4m~5m 간격으로 연도용 개자리를 만들어주기도 한다. 이런 경우는 각을 주지 않고 수평으로 끌고 간다. 아마도 불을 피우고 그 연기를 몇 십 미터씩 끌고 다니는 민족은 우리민족 밖에는 없을 것이다. 수강재의 굴뚝도 방과의 거리가 최소 6m에서 8m 정도씩 떨어져 있다. 당연히 연기는 집 안에 어떤 영향도 미칠 수 없다.

이러한 연도는 흙으로 구운 연통을 묻어 사용하기도 하고 돌을 이용하여 통로를 만들어주기도 한다. 그 위를 돌로 막아주어 외부로부터의 충격에 의한 무너짐을 막는다.

굴뚝

연도에서 흘러온 연기와 습기를 머금은 공기는 더욱더 무거워져 굴뚝개자리로 떨어진다. 목초액은 굴뚝개자리에 고이게 되고 연기는 굴뚝을 통해 밖으로 배출되게 된다. 이때 공기는 열기를 다 잃은 상태이며, 연기만 굴뚝을 따라 위를 향한다. 하지만 굴뚝 안의 공기는 그래도 외부의 찬 공기보다는 온도가 조금이라도 높기 때문에 단열을 하여 연기가 잘 빠져 나가도록 유도해 준다. 굴뚝에서 간혹

창덕궁 구들의 해체와 복원

중간이 구멍이 있거나 문이 있는 경우를 보게 되는데, 이는 굴뚝개자리에 고인 목초액을 빼주기 위한 경우도 있고 처음 차가워진 공기를 중간 정도까지 밀어내기 위한 경우다.

함실에서 장작으로 뜨거운 열기가 만들어지고 그 열기는 함실에서 고래를 통해 방안으로 들어가게 된다. 고래를 지나면서 열기를 구들장에 전달하여 방안을 따뜻하게 만들어주게 되고 열기를 잃은 공기와 연기는 무거워지는 성질을 갖는다. 그리고 함실에서 밀려오는 에너지로 기운이 약해진 공기는 개자리로 모이고 나무가 연소되면서 발생한 습한 기운은 모여서 굴뚝개자리에 목초액으로 남게 된다. 연기는 위를 향한다는 생각으로 모든 것에 경사가 위일 것이라는 것에 반하는 것이 바로 우리나라 전통구들의 원리인 것이다.

10 차 한 잔을 마시며

●●●

　　　　오랜 잠을 자던 구들방을 깨운 느낌이다. 이제 좀 움직여 보라고 말하고 싶기도
하고… 한편으로는 이런 생각도 든다. 가만히 있는 것을 일껏 깨워 놓고 움직이지는 말라고 한다.

집이란 왜 존재하는 걸까?
비가 오면 비를 막아주고 해가 지면 잠잘 공간을 제공하고, 따뜻한 기운으로 사람을 보호해주는
역할을 하는 것이 집이 가지는 근본적인 존재의 이유이다. 그리고 그 안에서 사람들은 웃고
이야기하며, 즐거움과 슬픔과 힘든 일을 함께 공유하면서 삶의 무게를 함께 나누며 오순도순
살아간다. 사람들끼리 소통의 원초적 자리로서의 공간적 개념을 지닌 존재가 아닐까. 적어도
일반적으로 생각하는 집, 우리가 살고 있는 집이라면 일 년 365일 하루 24시간이 사람의 온기로 가득
차 있을 것이다. 하지만 수강재! 창덕궁의 수강재는 주인을 잃은 채로 오롯이 혼자 이 자리를 지키고
있다. 낮이라면 아주 잠깐 관람객의 시선을 받겠지만 밤이 되면 지나치게 조용해진 적막함을 안고
홀로 있다.

▋현대와 조선시대를 오가는 듯한 느낌

서울의 아침은 항상 분주하다. 청량리 집에서 창덕궁까지의 거리는 약 6km 정도이다. 거리상으로는 매우 짧지만 차로 1시간이나 걸린다. 토요일과 일요일은 예외로 30분 정도면 가능하다. 차에서 내려 작업복과 사진기를 들고 창덕궁 문을 열고 들어서면 왠지 모르게 다른 세상으로 온 듯한 기분이 든다.

이제부터 필자에게 주어진 시간여행이 시작되는 순간이다. 창덕궁의 첫 문을 지나 안으로 들어섰다. 얼마 지나지 않아 필자는 아주 자연스럽게 영화 속으로 빠져든다. "나는 조선시대 장인이고 지금은 왕의 부름을 받고 궁궐로 들어서는 중이다"라는 생각에 빠져 들면서 궁궐 한 가운데에서 조선시대 조선인으로 서 있다. 발길을 천천히 옮겨 낙선재에 다다르면 "아! 여기가 어디인가!" 하는 생각이 들면서 감정은 극에 달한다. 그러다 문득 떨어지기 일보 직전의 홍시를 대롱대롱 매달고 있는 감나무가 눈에 들어온다. "또 시간이 가고 있구나! 저 감나무는 조선시대나 지금의 시간이나 같은 시간일 것인데……" 하는 생각에서 온몸에 전율이 감싼다.

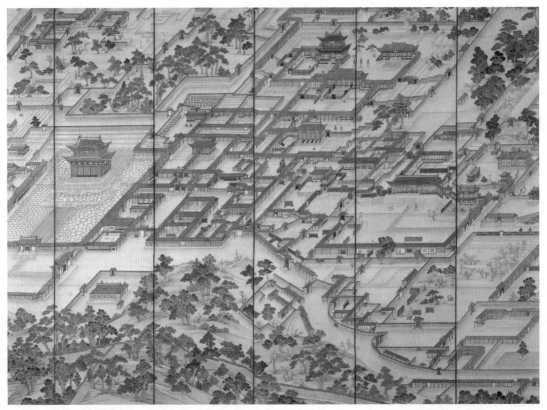

동궐도: 1830년 무렵 그려진 것으로 추정되는 궁궐그림이다. 창덕궁관리소/조선의 참 궁궐 창덕궁 최종덕 2012

오늘은 월요일. 창덕궁이 휴관이라서 하루 종일 조용하다. 수강재에서 작업하는 내내 담장 밖 세상의 소음은 하나도 들리지 않는다. 덕분에 필자는 마음 놓고 생각에 잠길 수 있다. 이런 집에서 예전의 사람들은 어떻게 생활을 했을까. 어떻게 불씨를 보관하고 불을 피우고 구들방에 불을 넣었을까. 수강재 구들을 해체하면서 안 사실이지만 수강재 본 건물은 매우 큰 반면에 불을 피워 난방을 해야 하는 면적은 그리 크지 않다는 사실에 흥미를 느꼈다. 큰방과 옆의 작은방 그리고 건넌방이 전부다. 큰방은 넓은 면이 4700mm, 좁은 면이 3420mm이고 나머지 작은방은 더 작다. 모든 건물이 다 비슷하듯 난방은 반드시 해야 하는 방에만 구들시설이 있다. 나머지 공간은 마루와 연결 공간으로 구성되어 있다. 우리나라 구들방은 밤에는 잠을 자는 공간이고 낮에는 책을 보거나 손님을 맞이하는 공간이기도 했고 밥을 먹는 식당의 역할도 했던 곳이다. 이 방에 난방으로 사용된 나무는 얼마나 많이 들어갔을까.

필자는 현재 구들방에서 생활하고 있다. 9월 중순부터 11월까지는 보통 2일이나 3일에 한 번 정도 불을 피우는데 500mm~600mm 정도의 길이와 팔뚝만 한 두께의 크기로 8개 내외의 장작을 땐다. 방은 실내 크기가 가로 세로 3800mm 정도다. 두 사람이 지내기에 충분하다.

강원도 평창의 전통 구들방이다. 벽체는 우리나라 통나무이고 구들은 함실아궁이로 줄고래이다. 한 번 불을 넣으면 봄가을에는 2~3일, 겨울에는 1~2일 정도 온기가 있다. 방바닥은 한지 도배로 마감하여 사용하고 있다.

▌누군가에게 우리나라 전통 구들을 보여주어야 한다면…

우리나라 전통구들에 대해 누군가에게 소개한다고 생각해 보자. 필자가 늘 생각해보는 일이지만 뭘 보여주면서 설명해야 하는지 막막하기도 하다. 완성된 구들은 땅속에 묻혀 보이지 않는다. 우리나라의 고유문화를 보여주어야 할 상황인데 뭘 보여주지? 만일 외국관광객이 서울에 온다면 박물관도 가고 동대문시장과 남대문시장도 가고, 우리나라 고유의 먹을거리도 체험하러 다닐 것이다. 관광지 중 빼놓지 않고 들르는 곳 역시 궁궐이다. 민속촌이나 한옥마을도 관광객의 발길이 잦은 곳이다. 하지만 그 어느 곳에도 한옥의 심장으로 살아 움직이던 구들의 흔적은 찾기 어렵다. 있다고 해도 보여주기 위한 관광용 구들은 아주 작거나 미약하며 표현 방식도 대부분 허튼고래의 형식과 가마솥 부뚜막 아궁이 형식이 전부다. 이것이 지금 우리나라 구들문화의 현실이다.

구들에 대해 조금 다른 생각을 해 보자. 구들이란 어떻게 해서 생겨나게 되었을까. 상상해보자. 아주 오래 전 사람들은 추위를 피해 움막을 지었거나 비 가림 시설을 만들었을 것이다. 그 안에서 추위를 피하기 위해 불을 피웠을 것이고, 음식도 만들어 먹었을 것이다. 불을 피웠을 때 나오는 연기를 바깥으로 유도하는 길을 만들었을 것이고 그 연기가 지나가는 길을 덮어주었을 때 그 위가

한 번 불을 피우면 100일간 난방이 되었다던 칠불사 아자방 발굴 당시의 작업사진이다. 왼쪽 구들장의 크기가 상상을 초월할 정도로 크다. 사진 상단부 일하는 사람의 키로 구들전체의 규모를 짐작하게 한다.

따뜻하다는 사실을 자연스럽게 알았을 것이다. 외줄고래의 시초인 셈이다. 그러다가 그 길을 여러 갈래로 만들어주면서 보다 넓은 면적을 난방으로 활용했을 것이다. 물론 이 때의 구들이 지금처럼 완성도가 높지 않았을 것은 당연한 일이다. 구운 벽돌은 꿈도 꾸지 못한 채 주변의 막돌과 넓적한 돌만 있으면 무조건 구들장으로 사용했을 것이다. 구들장 크기에 맞게 굄돌을 놓고 구들장을 연결해서 구들을 놓았을 것이다. 또한 전기가 없던 시대인 만큼 하루 종일 식사준비에 많은 시간을 들였을 것이며, 적어도 하루에 두 번 정도는 아궁이에 불을 지펴 난방과 식사를 해결했을 것이다. 물론 조금 여유가 있는 사람들이라면 방도 크고 건물 안에 방도 여러 개 있었을 것이다. 막돌 보다는 모양을 만들기 좋은 벽돌을 만들거나 깨진 기와를 활용하여 구들장을 얹었을 것이다. 불을 피워 내가 원하는 방향으로 불을 보내기 수월하고 불기운 조절이 가능하다는 것은 차츰 깨닫게 되었을 것이다. 아울러 식사는 별도의 공간에서 할 수 있게 하여 한 여름에 불을 넣지 않은 공간에서 생활할 수 있는 방법을 터득하게 되고, 방안에 직접 불을 넣는 함실아궁이가 훨씬 열효율이 좋다는 사실까지 점차적으로 터득했을 것이다. 이런 식의 진화된 구들문화는 대방 구들이나 궁궐에서 손쉽게 볼 수 있다.

우리나라의 구들문화만큼 훌륭한 문화를 어디에서 찾을 수 있을까? 2천년 전에 한 번 불을 지피면 100일 동안 유지되었다는 칠불사 아자방과 같은 난방문화를 가진 민족이 지구상에 또 어디 있었겠는가. 기왕이면 우리나라의 구들 문화 중 좀 더 고급스러운 문화를 보여줘야 한다는 필자의 욕심이 당연한 것이다. 서민들이 재료도 없고 살기 힘들어 어쩔 수 없이 만들어 쓰던 모습도 좋지만 궁궐의 품위가 돋보이는 우리 전통 구들문화를 제대로 알 수 있도록 조성해 놓기를 간절히 바란다.

그렇다면 무엇을 어떻게 보여주어야 하는가. 가장 원초적인 방법은 체험이다. 직접 보고 느끼게 해주면 열 마디 설명이 굳이 필요치 않을 것이다. 구들이야말로 직접 체험해 봐야 할 문화가 아닌가. 따뜻한 구들방에 둘러 앉아 우리 전통차 한 잔을 마시면서 구들의 원리와 전통 그 이상의 담소를 나눈다면 색다른 체험이 될 것이다. 이것이야말로 '느끼는 한국문화'가 아닌가 생각한다. 여기에 궁궐구들이 만들어지는 과정을 사진이 아닌 직접적으로 볼 수 있는 현실감 있는 자리까지 제공된다면 더할 나위 없겠다.

■ 현대에 와서 구들을 다시 놓는 이유, 저온온수 난방시스템과 전통구들

40~50대 이상의 성인들에게 구들방은 좀 특별한 추억이면서 다시 찾고 싶은 주거문화가 아닌가 싶다. 오늘날 찜질방 문화가 발전하는 이유도 구들방에 대한 향수라고 생각된다. 우리나라 민족 특히, 여성들은 뭔가 뜨끈뜨끈한 바닥에 지지고 싶어 하는 경향이 짙다. 한 여름 장마철에도 뜨끈한 아랫목을 그리워하는 민족이다보니 구들방에 대한 애정은 한국인으로서의 본질적 성향이자 자석처럼 이끌린다고 해도 과언이 아니다. 구들문화가 어찌 추억이나 아련한 기억으로만 설명할 수 있을까. 구들방은 우리 민족의 실생활 그 자체다. 장작불은 아니지만 아파트에서 살고 있으면서도 바닥 난방 시스템에서 거주하는 이유가 그 하나이다. 현재 우리나라 주거형태에서 난방은 전통구들 대신 대부분 저온온수 난방시스템을 사용하고 있다.

물은 가장 손쉽게 얻을 수 있고 활용하기도 쉽다. 방안 바닥에 물이 담긴 파이프를 묻어두고 그 물을 뜨겁게 만들어주면 방바닥은 따뜻해진다. 이처럼 현대의 집이란 개념에서 물이 차지하는 비율은 상당하다. 근대의 건축물을 제외하고 물이 직접적으로 안으로 들어온 것은 그리 오래되지 않았지만 그 만큼 물은 가장 필요하면서도 건축에 있어서 화두에 서는 소재이다. 구들에 있어서는 더욱 그러하다. 구들방을 만드는데 가장 원초적으로 필요한 재료가 황토와 돌이다. 그런데 이 황토와 돌을 한 몸으로 만들어주는 것이 물이다.

물은 황토의 점성을 높여주고 이 점성이 접착제 역할을 한다. 하지만 구들방에서 물 만큼 밉상은 없다. 물을 이용하여 만들어진 구조물은 물 기운이 하나도 남지 않게 잘 말려야 한다. 그래야 방이 따뜻하고 곰팡이가 생기지 않는다. 구들방의 구조를 자세히 살펴보면 주변의 물이 집 안으로 침투하는 것을 원천적으로 막고 있다. 전통구들과 저온온수난방시스템은 이런 점에서 많이 다르다고 할 수 있다.

구들은 물과는 상극이다. 완성된 후에는 물 기운이 없어야 하고 들어와서도 안 된다. 완성되기 전에 그 물 기운이 얼기라도 한다면 그대로 바스러지기 때문이다. 하지만 저온온수 난방시스템은 물이 없이는 생각할 수 없다. 50도에서 70도 정도의 따뜻한 물로 방바닥을 데우므로 구들처럼 방바닥이 검게 그을릴 염려는 전혀 없다. 즉, 따끈하다거나 등을 지진다는 개념은 아니다. 저온온수는 지름이 15mm 정도 되는 파이프 안에 물이 지나다닌다. 이 때 파이프 아래쪽으로 물의 온기를 빼앗기면 안 되기 때문에 반드시 바닥에 단열재를 설치해야 한다. 다시 말해서 현대의 난방형태는 땅의 기운을 막고 있지만 큰 의미는 없다. 초고층 아파트 주거형태에서 땅의 기운을 운운하는 것 자체가 말이 안 되기 때문이다.

하지만 전통구들은 방바닥이 모두 자연석이고 그 위를 황토가 차지하고 있다. 땅에서 올라오는 기운을 한껏 느낄 수 있다는 뜻이다. 현대인들의 주거 형태는 단독주택보다는 대부분 아파트나 공동주택이 많다. 그런 이유에서 온돌문화를 겪었던 세대이거나 혹은 온돌문화를 전혀 모르는 세대들도 뜨끈한 아랫목(요즘은 찜질방이 대신하고 있지만)은 너나 할 것 없이 좋아하고 있다. 나이가 들면서 어느 일정한 부분만이라도 자연과 어울리는 삶을 생각하게 되는 것이 삶의 마지막 희망이자 목표가 되어 버린 현대인들의 마음 한 가운데에 구들방이 있다.

┃좋은 구들이란 어떤 것인가

'좋은 구들이란 어떤 것이냐' 라는 질문에 한마디로 답할 수 있을까. 그 질문의 의미에 따라 다르겠지만 가장 먼저 떠오르는 단어는 '따뜻한 구들'이다. 두 번째는, '다시 손보지 않아도 되는 구들'이다. 추운 겨울철에 가장 중요한 건 난방이듯이 따뜻하지 않은 구들은 상상하기조차 싫다. 다시 손보지 않아도 되는 구들이라 함은 아마도 직업적인 면이 많이 고려된 대답이기도 하다. 누구나 그러하겠지만 필자가 구들을 놓는 사람임에도 불구하고 다시 고쳐 쓴다는 게 그리 쉬운 일이 아니다.

아주 오랜 세월 우리나라 사람들은 구들을 놓고 살아 왔다. 역사 속의 칠불사 아자방 구들은 2000년 전이라 하고 그보다도 더 오랜 시간이라고도 한다. 그토록 오랜 시간이지만 변하지 않는 것 중 하나가 구들이다. 먹고 자고 입는 것은 변하긴 해도 그 원초적인 것은 변함이 없는 것과 같은 이치다. 따뜻함이라는 것은 세상이 아무리 변한다 해도 사람에게 반드시 필요한 필요조건이며, 그것을 가장 가깝게 충족시켜 줄 수 있는 것이 구들이다.

그리고 그 좋은 구들의 중심에 서 있는 것이 궁궐구들이다. 그도 그럴 것이 그 시대의 가장 영향력 있는 사람들이 살던 건물의 설비이므로 당연하겠다. 이런 좋은 구들 중 하나인 수강재 구들을 통해 이야기 해보자.

궁궐 구들과 일반 구들과의 차이점은 몇 가지가 있다. 다른 점의 몇 가지 예를 들면, 규모가 좀 다르다는 점이다. 물론 방 자체가 큰방이 있긴 하지만 여기서 말하는 규모는 방의 크기만을 말하는 것이 아니라 전체적인 형태에 있다. 구들의 구조를 보면 많은 부분이 줄고래 형태이고 함실의 크기도 일반적인 함실보다 큰 편이다. 앞서 살펴보았지만 수강재의 두 방 모두 함실장의 크기가 일반적인 함실장에 비해 크다. 보통은 여러 장의 돌로 함실장을 덮거나 막게 마련인데 두 방 모두 한 돌로 함실을 덮었다. 함실장의 크기는 두께가 거의 200mm에 가까웠고, 좁은 폭은 600mm 넓은 폭은 1400mm가 넘었다. 구들돌들은 대부분 정으로 다듬어져 가로 세로 500mm 이상이고 넓은 것은

900mm에 달한다.

이렇듯 궁궐구들은 모든 면에서 조금씩 규모가 크다. 이것은 구들의 특성상 발생할 수 있는 여러 문제의 확률을 줄여준다고 볼 수 있다. 함실이 크고 넓다는 것은 당연히 연료가 연소할 때 나쁘지 않을 것이며, 큰 화강암 구조물들은 단단히 잡아주는 역할을 하고 큰 이맛돌은 불문 위 함실을 구성하는데 필요한 시근담의 기초가 되어 준다. 또한 넓은 고래와 높은 고래둑은 열기의 흐름을 원활하게 하고 두툼한 시근담 벽돌은 외부로부터 열기 손실을 막아준다. 그리고 작업자가 들어가서 움직일 정도로 좁지 않은 개자리는 열기를 당겨주는 역할하고, 깊은 위치에 있는 연도는 개자리의 열기가 바로 빠져나가는 것을 막아준다.

구들을 놓는데 쓰인 자재는 대부분 구운 벽돌이거나 화강암이다. 고래둑 역시 화강암을 다듬어 긴 장대석으로 놓기도 하고 그 위에 돌을 받혀 구들장을 놓기도 한다. 개자리는 큰 돌을 이용해 무너지지 않도록 기초를 만들고, 지속적으로 힘을 받는 곳은 더욱 큰 기초석으로 만들었다. 따라서 무너지거나 망가질 우려가 거의 없는 것이다. 함실을 덮는 돌도 앞에서 언급한 바와 같이 한 장으로 그 큰 함실을 다 덮었다. 두께가 200mm 정도이니 불에 터질 염려는 없어 보인다. 사용된 자재들은 모두 본래 생긴 그대로의 돌을 사용하기도 했겠지만 정으로 일일이 쪼아 정성스럽게 모양을 낸 흔적을 보면서 옛 선조들의 장인정신을 느꼈고, 참으로 고급스럽다는 느낌이 들었다.

경복궁 함화당 구들방 함실과 굄돌들

구들은 방바닥 아래 뜨거운 열기가 지나가도록 해서 방을 데우는 바닥 난방 시스템으로 이러한 기본적인 원리는 예나 지금이나 같다고 볼 수 있다. 다만 어떤 방식으로 열기를 방으로 전달하느냐에 따른 차이가 있을 뿐이다. 구들은 그 쓰임새에 따라 부뚜막 아궁이와 함실아궁이로 나누어진다. 예전에는 밥을 짓거나 음식 만드는데 필요한 불을 제공하는 곳이 아궁이인 경우가 대부분이었다. 이것은 좋고 나쁨의 문제가 아니라 필요한가 아니한가의 차이일 뿐이다. 방 안의 구조와 규모에 따라 어떻게 열기를 전달할 것인가에 대한 이야기가 중요하다는 것이다. 한 방의 크기가 20평 정도되는 구들방과 3평 남짓의 구들방은 그 구조가 달라야 한다. 대방 구들이 이런 면에서 좋을 듯싶다.

난방이 목적인 구들에 대해서 살펴보면 재미있는 부분이 참으로 많다. 창덕궁 수강재를 예로 들면, 첫 번째 두 방 모두 함실은 2단으로 형성되어 있다. 연료인 장작이 들어오는 함실의 앞쪽은 생각보다 그리 크지 않다. 깊이는 불문 입구에서부터 보면 900mm 내외이다. 그런데 이 칸을 1단으로 약 150mm 내외의 단을 두고 함실이 안쪽으로 더 넓어진다. 안쪽으로는 200mm, 양 옆으로는 300mm씩 넓어진다. 그리고 그 2단 벽에 함실 벽이 형성된다. 함실을 왜 이렇게 키웠을까. 아마도 이 구들을 놓은 온돌편수는 방이 크기와 열의 배분이라는 점에서 달리 생각한 거 같다. 큰방의 경우 고래가 6줄이다. 즉 열기를 분배함에 있어서 6개 정도의 분배기능을 함실에 주고 싶었던 것 같다. 이런 면에서 본다면 평범한 함실의 모습으로는 좀 어려운 부분이 있었을 것이다. 일단 분배를 하고 다시 분배하는 모양보다 처음부터 열기를 나누고 싶었을 것이다. 방의 크기도 일반적인 크기보다 큰방으로 좀 더 많은 장작이나 숯을 사용했을 것이다. 따라서 크기를 양 옆으로 늘리면서 원활하게 열기가 올라가도록 2단으로 만든 것이 아닌가 싶다.

두 번째, 고래의 경우, 구들을 놓다보면 항상 생기는 방의 구석부분에 넓은 공간이 생기는데 이 부분도 열기가 올라가기 쉽게 2단으로 단을 주었다.

세 번째, 개자리가 아주 깊게 되어 있다. 방바닥에서부터 깊은 곳은 1.3m 가까이 된다. 특이한 점은 개자리에 연도가 2개 뚫려 있다는 점이다. 하나는 평범하게 개자리 한쪽에 있고 다른 하나는 있는 듯 없는 듯 하게 반대방향에 구멍이 아닌 틈처럼 만들어져 있다. 이는 굴뚝과 관련 지어 생각해 볼 수 있다. 굴뚝은 큰방의 개자리에서 일단 2.5m 정도 앞으로 나와서 2m 정도를 직각으로 꺾인다. 그리고 다시 사선으로 6m 정도를 이동하고 뒤뜰의 석축과 만난다. 이 석축의 2단 위에 굴뚝이 있다. 이 머나먼 여정을 가기에 부족함이 없게 당겨주는 역할을 하는 것이 아마도 개자리일 것이다. 다음으로 반대편의 틈처럼 만들어진 연도는 방의 외곽으로 열기가 가지 않을 것을 대비해서 만든 것으로 판단된다. 또한 반대쪽의 넓은 연도로 열기가 너무 잘 나갈 것을 대비해서 구들장도 고래둑 위에서 살짝 띄워 열기를 분배한 흔적이 보인다.

이 정도만 봐도 그 당시 이 구들을 만든 사람은 불을 다루는데 두려움이 없는 사람, 자신감이 넘치는 온돌편수였음을 짐작할 수 있겠다.

조선시대 궁궐구들방과 현대 구들사랑방 만들기

어떤 건물이든 또 얼마나 오래된 건물이든 그 유형에 상관없이 필자는 건물만 보면 종종 생각에 잠긴다. 더군다나 궁궐이라면 더욱 그렇다. "아! 얼마나 힘들었을까!" 건물이지만 사람처럼 살아있다고 보는 습관에서 나오는 감정이다. 집이란 아마도 이 세상에 인위적으로 만든 조형물 중 가장 클 것이다. 하물며 집을 혼자 짓는다고 가정할 때 상상 그 이상의 어려운 일이 벌어진다.

일반 건물도 그러한데 궁궐은 오죽할까. 궁궐에서 그 큰 기단석들을 어떻게 다듬고 어떻게 저 높은 곳까지 올렸는지 참으로 궁금하면서 감탄하지 않을 수 없다. 필자는 오래된 사찰이나 집을 구경할 때 항상 그 주변의 석축을 한 번씩 만져보는 습관이 있다. 그리고는 혼잣말로 "고생하셨네요"라고 읊조리곤 한다. 구들장이인지라 구들방 만드는 일은 얼마든지 자신 있다 하겠지만 필자에게도 도무지 엄두가 나지 않는 것이 하나 있다. 궁궐처럼 집을 들어서 짓는 일이다. 이런 저런 생각에 잠긴 채 수강재에 들어서면 가장 먼저 대청마루를 본다.

높다. 두 개의 기단석이 올라가고 그 위에 기초 초석이 있고 그 위에 집이 있다. 방바닥에서 보면 마당이 한참 아래에 있다. 그냥 어림잡아도 방바닥과 마당의 높이 차이가 1m는 넘어 보인다. 구들의 구조를 이해한다면 당연한 이치이지만 또다른 이유는 우리나라의 계절과도 연관이 있다. 평균적으로 더울 때는 30도를 넘나들고 추울 때는 영하 20도 이하로 내려간다. 물론 남쪽 지방은 아니지만 말이다.

춥다는 이야기는 땅이 얼어버린다는 뜻도 된다. 땅이 얼마나 얼까? 지금 필자가 살고 있는 강원도는 한 겨울에 보통 1m 가량 꽁꽁 언다. 1m 내외의 얼어버린 땅은 땅 속에 있는 물기에 의해 부풀어 오르듯이 들려지고, 봄이 되어 녹으면 다시 가라앉는다. 이런 현상이 반복되면서 땅 위의 구조물은 당연히 영향을 받게 된다. 구들과 같이 직접적으로 열을 전달하는 구조라면 더욱 그렇다. 모든 구조물이 추위로부터 보호받는 것 즉, 날씨의 변화에 영향을 덜 받는 것이 훨씬 좋으며 튼튼함을 유지하기가 수월할 것이다. 이처럼 자연적인 변화에 덜 노출되게 하기 위해서는 집 주변으로 흐르는 물을 해결해야 한다. 비가 오면 한꺼번에 처마 끝에서 떨어지는 많은 양의 비가 집 주변 땅으로 떨어진다. 떨어진 물은 배수로가 있으면 모여서 흐르겠지만 아니라면 바로 땅속으로 일정부분은 스며든다. 만일 집안의 고래와 개자리가 지표보다 낮으면 스며든 물은 바로 집의 빈 공간으로 모일 것이다. 그 만큼 외기에 노출될 일도 많다는 뜻이 된다. 그 외기에 노출되는 부분을 다시 기단으로 감싸주고 보호해 준다면 구들의 구조는 좋아진다. 궁궐이 높을 수밖에 없는 당연한 논리이다.

조선시대가 표현한 장점을 살려 현대의 좋은 장비와 시스템을 활용해서 현대와 잘 어울리도록 만든다면 어떨까. 현대의 건물 대부분은 철근 콘크리트를 기초로 하여 기반을 다진다. 경제적이고 효율적이며 적용하기 쉽기 때문이다. 이 말에 동의하지 않을 수도 있겠지만 사실이다.

예전에 지은 집은 그냥 기초석 하나 놓고 그 위에 기둥을 세웠을 거라고 생각할 수 있지만 다 그렇지 않다. 기초석 밑에 잡석다짐을 하거나 큰 돌로 지반을 다지고 그 위에 초석을 놓는다. 그래야 기초가 튼튼하고 기둥을 잘 받혀줄 수 있다. 비용은 생각보다 많이 소요된다. 자연석으로 기초를 다지는 방법이 비용 면에서 조금은 적게 들 수는 있어도 시공 상의 부주의나 숙련도가 떨어짐으로 발생되는 문제를 생각하지 않을 수 없다. 예를 들면, 조그마한 사랑채를 지으면서 땅을 파고 잡석다짐을 하고 그 위에 자연석을 올려놓고 집을 지었다. 그런데 몇 년이 지난 후 문제가 생겼다. 정확하게 되지 않았던 잡석다짐의 빈 공간이 주변의 건수를 잡아 댕기는 공간 역할을 하고 있다는 사실을 알아챘지만 이제 와서 고칠 수 없는 큰 실수였음을 인정할 수밖에 없다. 철근 콘크리트방식은 누구나 어느 정도의 학습을 통해 동일한 효과를 낼 수 있는 이른바 공개된 방식이다. 즉, 어디에서나 누구에게나 동일한 결과물을 얻을 수 있다는 뜻이기도 하고 그 만큼 하자의 발생 확률이 적다는 뜻이다. 이왕 구들방 집을 지으려면 전체적인 기초의 높이를 최소한 1m 이상으로 만들라고 필자는 권하고 싶다.

한옥에서 방바닥의 높이는 마루높이와 거의 같다. 위 사진을 보면 마루에서 마당까지 높이가 1m 정도 된다.

구들을 놓다 보면 굴뚝에 대해 다소 소홀할 때가 있다. 구들을 놓고 나서 어느 한편에 세우는 것이 굴뚝이라는 생각들이 만연한데, 그건 아마도 구들자체가 전체적인 건축에 있어서 아주 작은 일부분이라는 생각에서 비롯된다고 본다. 30평 규모의 집을 짓는다면 그 중에서 3~4평 정도만 구들이니 전체에서 구들이 차지하는 비중은 정말 얼마 되지 않는다. 구들방은 대부분 도시를 떠나 외곽에 지어지는 집들로 주로 산자락 근처 계곡을 끼고 짓는 경우가 많다. 우리나라 자체가 전체의 70%가 산이다보니 어딜 가도 산자락 근처에 놓이게 된다. 이런 지형에서는 대체로 낮에는 산으로 바람이 불고 밤에는 산에서 아래로 바람이 분다. 요즘의 집들은 대부분 경량화 하는 추세다. 특히 지붕의 경우 경량화에 따른 환기 시스템을 만들어주며 이를 벤트라고 한다. 이때 자칫 잘못하면 벤트로 연기가 스며들어갈 수 있다. 따라서 굴뚝은 반드시 집을 짓는 처음부터 염두에 두고 시작해야 한다. 굴뚝의 위치도 연도를 먼저 튼튼하게 설치한다면 얼마든지 10m 이상 떨어뜨려 설치할 수 있다. 굴뚝은 너무 높지 않게 하여 창문과 환기 시설과도 멀어지게 하는 것이 좋겠다.

창덕궁 구들의 해체와 복원

▌조적하거나 구조를 만들 때는 황토를 많이 쓰지 말자

수강재의 큰방과 작은방 모두를 해체복원 수리하면서 건드리지 않은 부분도 있다. 전체적으로 기본이 되는 시근담은 다시 수리를 하지 않아도 될 정도로 아주 튼튼하게 만들어져 있었고, 불문을 지탱하는 이맛돌도 건실하게 있었다.

황토는 구들이라는 시스템에서 구조를 만드는데 접착제 같은 역할을 하기도 하고 마감 재료로도 사용된다. 흙은 집을 지을 때 없어서는 안 되는 물질이지만 지나치게 많이 쓰면 망가지기 쉽다. 방바닥의 경우 한지장판이 잡아주면서 특별한 사유가 없었기 때문에 망가지지 않고 양호했다. 하지만 내부로 들어가 고래둑의 경우는 다르다. 구들장을 받치고 있던 고래둑은 망가져 있고 고래가 막혀 있었다. 구들장과 고래둑을 잡아주는 흙이 무너지거나 고래둑을 형성하고 있던 와편이나 돌을 잡아주던 흙이 무너지면서 발생한 현상들이다. 이런 현상이 생기지 않게 하려면 최소한의 흙과 구운 벽돌과 다듬어진 돌을 사용하면 어느 정도 막을 수 있다. 그럼 왜 애초에 이렇게 하지 않았을까 라고 반문하겠지만 그 시대는 아마도 지금처럼 손쉽게 양질의 구운 벽돌을 구하기 쉽지 않았을 것이다. 현시대는 어디서나 저렴한 가격으로 구운 벽돌을 구할 수 있기에 최소한의 황토를 사용하면서 이와 같은 실수를 범하지 않게 되었다. 물론 시공자의 정성이 필요한 부분이다.

▌집 주변의 배수로와 굴뚝개자리의 배수로와 함실부분의 배수로

기존의 집에 구들을 놓다 보면 기초가 높지 않아 함실부분이 지표면보다 아래로 내려가는 경우가 있다. 이런 경우 개자리도 지표면보다 아래에 위치하여 집 주변의 물은 자연스럽게 함실과 개자리로 모일 수 있다. 때문에 함실의 위치를 결정할 때 주변의 높이를 고려하여 낮은 방향으로 배수로를 만들어주는 것이 좋다. 함실이 집의 전체적인 방향으로 볼 때 낮은 쪽으로 잡으면 된다고도 하지만 함실을 낮은 방향으로 놓게 되면 그 반대 방향이 개자리가 되고 개자리는 집의 전체적인 면에서 보면 높은 쪽에 위치하게 된다. 이는 배수로를 만드는데 어려울 수 있다는 뜻으로 항상 땅 속 낮은 빈 공간으로 건수가 모일 수 있다는 점을 기억해야 한다.

굴뚝 아래에 있는 굴뚝개자리도 건수가 모이거나 목초액이 쌓이게 되는데 나중에 퍼 낼 수 있거나 자연적으로 땅 속으로 스며들기도 한다. 만일 배수로가 있으면 굴뚝개자리에 물이 차는 경우는 없다. 만일 굴뚝개자리에 물이 차면 연기가 잘 나가지 않는다.

열기가 도망가는 것을 막자

좋은 구들방이란 당연히 오랫동안 따뜻함을 유지하는 방이다. 그러기 위해서는 제일 먼저 단열을 생각해야 한다. 함실에서 만들어진 에너지가 온전히 방안으로 전달되고 외부로 빼앗기지 않는다면 방은 상당히 따뜻할 것이다. 예전에는 구들방에 불을 넣는 위치가 건물의 안쪽에 위치하여 가마솥을 올려놓는 것으로 난방 이외의 용도로도 사용했다. 외부로 노출되게 설치한 경우에는 마루 밑에 있거나 해서 뚜껑을 덮어 주었다. 요즘은 집에 구들방을 들일 때 전체 면적 보다는 방 한 칸 정도에만 놓는 경우가 많다. 난방을 목적으로 하기 때문에 아궁이가 바로 외부로 노출되는 경향이 대부분이다. 물론 불문은 있지만 그래도 불문이 열기를 온전히 다 막아준다고 보기 어려우므로 불을 피우는 그 공간이 완벽하게 막히지는 않아도 외부의 찬 기운이 바로 닿는 것을 막아주면 좋다.

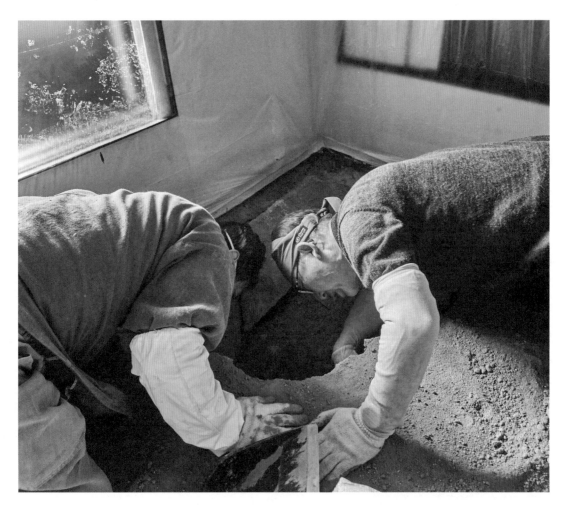

창덕궁 구들의 해체와 복원

▍전통구들호텔과 전통구들 템플스테이

구들은 오로지 우리나라에만 있는 고유의 전통 주거문화이다. 현재까지도 방바닥을 덥혀서 난방을 하고 있는 것처럼 바닥 난방시스템이 우리 민족의 실생활에서 많은 영향력이 있는 것은 분명한 일이다. 이에 맞춰 신발을 벗고 집 안으로 들어가는 주거방식이 발전했는지도 모른다.

예전에 영국 여왕이 우리나라를 방문했을 때 가셨던 곳 중 하나가 안동 하회마을이다. 그 당시 한옥을 관람하던 영국여왕에게 방안을 들어가려면 신발을 벗어야 한다고 했다. 유럽의 여자에게 신발을 벗으라는 것 자체가 상당히 무례한 일이지만 영국의 여왕일지언정 동양의 한국이란 나라의 따뜻한 전통구들문화를 제대로 알고자 한다면 우리만의 주거문화를 존중하고 인정해야 하기 때문이다.

현재는 방에다 침대를 놓고 사는 집도 많지만 그렇다 하더라도 방 안의 난방은 바닥 난방시스템이다. 우리만의 전통 구들방을 잊고 산 듯 하지만 아직도 우리 생활은 구들방을 못 벗어나고 있는 형국이며 앞으로도 영원히 그럴 것 같다. 그렇다면 지금처럼 소심하게 우리 구들의 전통문화를 이어가서는 안 될 것이다.

왜 우리나라를 대표하는 문화 중 하나가 한옥이라는 데는 주저하지 않으면서 그 한옥의 심장인 구들을 잊고 있는 것인가. 아니면 잊은 척 하고 있는 것인가. 우리는 지금 전통구들방과 많이 다른 구들방의 유사품에서 따뜻하게 살아가고 있다.

이런 와중에도 많은 사람들은 다시 한옥에 대한 관심을 보이고 있다. 지방 곳곳에 한옥마을이 다시 조성되거나 혹은 기존의 한옥마을을 수리하여 잘 보존하기 위해서 노력 중에 있다. 그럼에도 정작 제대로 된 구들이 놓인 걸 볼 기회는 거의 없다. 한류라는 명칭이 생기면서 한옥은 외국인들에게도 관심거리이고 우리 스스로도 우리 것을 많이 보여주고자 노력하고 있는 것도 사실이다. 하지만 정작 한옥을 가보면 껍데기만 우리나라 것일 뿐 집의 심장과 같은 난방 설비는 미국사람(건축가: 롸이트)이 개발한 저온온수난방시스템으로 설치했을 뿐만 아니라 실내 대부분은 현대식으로 꾸며 놓았다. 순수 한옥의 가옥을 볼 수 있는 곳은 민속촌이나 창덕궁과 같은 궁궐에 한하고 있다. 이 역시 한옥의 겉모습 일뿐 구들처럼 한옥이 되기까지 조상이 표현해낸 과학과 예술의 경지는 접하기 어려운 실정이다. 물론 실제 사람이 살고 있는 한옥에서 모든 부분을 전통방식으로 하는 건 무리가 있다. 전통가옥을 그리워하는 마음이 있기에 한옥의 겉모습이라도 짓겠다는 그 마음가짐에 그저 감사할 뿐이다. 하지만 한옥을 각자의 편리대로 재해석해서 주거지로 사용한다 하더라도 우리만이 가진 고유의 전통 구들문화에 대한 작은 관심이라도 가져주기를 바란다.

어찌되었든 한옥마을이라고 조성해 놓은 곳을 방문해 보면 확실히 아름답고 멋진 풍경이다. 그러나 아쉽게도 구들방은 거의 없다. 왜일까. 단지 불편해서, 아니면 나무 구하기 힘들어서, 이도 저도 아니면 구들방을 놓을 줄 몰라서. 아니면 연기 때문에. 이런 저런 생각을 하면서 스스로 수도 없이 질문을 던져본다.

봄 가을엔 점심 때쯤 한 번만 넣으면 적어도 2~3일은 따뜻하다. 장작은 500~600mm 정도 길이에 지름 100mm 정도의 마른 나무라면 7개~10개 정도면 충분하다. 도심이라서 장작을 지피는 것도 그렇고 그에 따르는 연기도 문제라면 좀 더 고급스러운 방법도 생각해 볼 수 있다. 궁궐이나 전통구들호텔에서 사용하는 숯이라면 연기 걱정은 안 해도 된다.

현재 사찰에서 운영하고 있는 템플스테이 프로그램에 많은 사람들의 관심이 몰리고 있다. 고즈넉하고 아름다운 산속의 사찰에서 자기 자신을 돌아보며 심신을 수련한다는 것은 현대인들에게 그 어떤 보약보다도 나은 자연의 선물일 것이다. 이런 사찰에서 장작을 직접 패고 아궁이에 불을 지펴보기만 해도 도심의 스트레스쯤은 한 방에 날려버릴 수 있다. 게다가 따닥따닥 장작 타는 소리는 얼마나 정겨울 것인가. 마지막으로 산사생활의 정점을 찍는 것은 따끈따끈한 아랫목. 구들방의 온기를 어찌 모르고 살 수 있겠는가!

▌전 세계적으로 알려 보자!
우리민족의 5000천년 역사의 흔적 구들문화를⋯

언젠가부터 필자에게 죽기 전에 꼭 해보고 싶은 '버킷리스트' 하나가 생겼다. 우리나라의 구들문화를 세계 여러 나라에 알리는 일이다. 알리는 방법은 다양하겠지만 필자가 생각하는 방법은 직접 구들을 놓아 그 구들방에서 사람을 살게 하는 것이다.

첫 번째 대상은, 해외 동포들이다. 생소하고 낯선 이국땅에서 삶을 살아간다는 것은 결코 쉬운 일이 아닐 것이다. 오로지 삶의 터전을 찾아서 떠날 수밖에 없었던 우리 동포들 특히, 예전 독일로 떠났던 광부와 간호사들을 생각하면 가슴이 먹먹해진다. 그들에게 따끈따끈한 구들방은 고향과 조국의 상징과도 같을 것이다. 기회가 주어진다면 그들이 사는 그 공간에다 불길이 잘 통하는 구들방 하나씩 선물하고 싶다. 올해 창덕궁의 수강재 구들을 살려냈듯이 내년에는 따뜻한 구들방의 주인이 해외동포들이었으면 하는 바람이다.

두 번째 대상은, 추위를 피할 수 없는 형편에서 어렵게 살고 있는 사람들이다. 주어진 조건이 녹록하지 않아 고스란히 추위를 참고 사는 사람들을 찾아 그 주변에서 쉽게 구할 수 있는 흙과 돌을 이용하여 친환경적인 구들방을 만들어주고 싶다. 그렇게 할 수만 있다면 그들의 고통을 조금이나마

궁궐구들은 탕방구들이라고 한다. 사진처럼 탕 안에 숯을 넣어 함실 안으로 밀어 넣어 준다.

덜어 줄 수 있지 않을까하는 생각을 해 본다.

이러한 필자의 바람을 실천할 수 있게 되었을 때를 가정 하에 좀 더 구체적으로 생각을 해 본다면, "그럼 한옥을 지어야 하나?" 라고 생각할 수 있겠지만 전혀 그렇지 않다. 구들은 어떤 형태의 집이나 구조물에도 잘 어울린다. 또 특별한 구조물이 아닌 임시적 구조물(텐트)에도 잘 어울리며 서양 사람들이 선호하는 침상의 모양을 가질 수도 있고, 완전한 친환경적인 형태로 만들 수도 있다. 더군다나 구들에 가장 많이 쓰이는 자재는 황토와 벽돌이나 돌이다. 어디에서든 쉽게 구할 수 있는 자재들이다. 시멘트가 전혀 필요치 않는 작업이므로 후에 해체한다 해도 자연스럽게 자연으로 돌아간다. 그런 의미에서 구들은 그 자체가 자연인 셈이다.

구들에서 불을 피운다는 한 가지만 생각하면 화재라는 단어가 바로 연상되는 것도 현실이다. 목조구조 주택에서의 화재는 당연히 치명적이다. 하지만 생각처럼 불은 쉽게 나지 않는다. 구들방의 구조를 잘 안다면 불이 붙을 수 없는 구조라는 것도 쉽게 알 수 있다.

해외에서 아주 오래 살았던 사람들과 이야기해 보면 서양인들에게 방바닥에 불을 지핀다는 건 상상조차도 힘든 일이라고 한다. 만약 그런 시설을 해외 곳곳에 설치하려 한다면 아마도 그들을 이해시키는데 오랜 시간이 걸릴 것쯤은 각오해야 할지도 모를 일이다. 그럼에도 사람 사는 온기 가득한 구들방을 세계에 알리고 싶은 필자의 간절함은 쉽게 지워지지 않는다. 구들이야말로 인류가 발명한 가장 큰 유산이다.

▌히말라야 부탄왕국에 한국 전통 궁궐 구들방 만들기

해외에 살기 어렵고 추운 지방에 구들방을 만들어 우리나라의 구들문화를 알리고자 하는 마음을 가진지 몇 년 만에 히말라야 3000m 고지에 우리나라 전통구들방을 만들 기회가 생겼다. 2012년 구들과 생태건축 관련 프로그램에 참여하셨던 분이 부탄왕국에서 그곳의 GASA주지사와 한국부탄협력기구가 공동으로 협력해서 초청하였다. 우리나라 구들을 필요로 하는 곳은 그 나라에서도 해발이 높은 지역인 "GASA"라는 주 province였다.

Gasa Dzong
Located in the north-western district of Gasa, the Gasa Dzong stands atop a hill overlooking the beautiful valley of Gasa. The Dzong was built in the 17th century by Tenzin Drukdra the second Druk Desi over the site of a meditation place established by Drubthob Terkungpa in the 13th century. The Dzong was constructed as a bulwark against attacks from the north and named Tashi Tongmön Dzong. Later it was expanded by the fourth Desi, Gyalse Tenzin Rabgye.

출발하기 전 어떤 이유로 우리 나라의 전통 구들시스템이 필요했을까 하는 궁금증은 구들방이 놓여질 곳의 환경을 보면서 금세 알 수 있었다.

7월의 한 여름인데도 건물 안에는 저녁이면 난로에 장작을 피웠고, 아침이면 조금은 쌀쌀하다는 느낌이 강했다. 특별한 난방 설비가 없이 나무마루 바닥으로 이루어진 방에 침대를 놓고 살고 있었다.

세상에서 가장 행복지수가 높은 나라, 부탄왕국

그곳에 사는 사람들은 놀랍게도 우리나라 사람과 너무 비슷했다. 아니 거의 같다고 봐도 무방했다. 생김새도 그렇고 공기놀이를 하고 몇몇 단어들은 우리나라와 같았다. 그냥 말을 하지 않고 있으면 우리나라 사람인지 이곳 사람인지 분간이 안 될 정도다.

수도가 있는 지역(팀푸)은 날씨가 매우 좋아 1년 내내 난방이 필요하지 않았다. 하지만 히말라야 산악지역으로는 해발 3000m가 넘는 고산지대로 평균온도가 매우 내려간다.

집은 모두 나무와 흙으로 짓고 살고 있었는데 대부분 주변의 돌을 잘 다듬어서 만들었다. 그러다보니 벽의 두께가 600mm가 넘기도 한다. 예전에 지어진 집들은 돌과 흙으로 시멘트 없이 짓다보니 기초도 굉장히 튼튼한 편인데 땅 속 깊이부터 쌓아 올라와 나무 판재를 지표면에서부터 보통 600mm 이상 띄워 깔아 주고 그 위에서 생활을 한다. 그러다 보니 우리나라 구들을 적용하기는 매우 쉬워 보였다.

이곳 사람들은 이런 지표면에서 어느 정도 띄운 나무마루 바닥에서 생활을 하고 있었다. 남쪽 지방은 괜찮아보였지만 산악지역은 상대적으로 많이 추운 상태였다. 병원사정도 마찬가지다. 환자들이 치료 후 그냥 나무마루 바닥에서 지내거나 침상에서 지낸다고 한다. 그런 환경에서는 추위에 병이 악화되는 경우도 있을 수 있고, 특히 산모들에게는 더욱 열악한 환경에서 산후 조리를 해야 하는 상황이었다. 대부분의 건축자재와 공산품을 주변 이웃나라에서 수입해야 하는 상황이어서 보일러와 같은 난방설비를 갖추기란 매우 힘든 상황이다.

이런 현실 속에서 주변의 흙과 돌을 이용해서 이웃들과 함께 구들을 놓고 난방을 할 수 있다는 건 그들에게 대단히 혁신적인 아이디어였다. 처음엔 방바닥이 따뜻해 질 수 있다는 걸 완벽히 믿지도 않았다. 하지만 구들이 다 놓여 진 후 따듯한 방바닥을 만져본 후에 그들은 구들시스템의 우수성을 믿었다.

전통구들방은 "GASA" 주 공관 건물의 방 하나를 수리해서 놓기로 했다. 작업은 주 정부 공무원들 중 건축 관련 공무원으로 6~8명을 선발해서 7~8일 동안 같이 만들기로 했다.

건물의 구조상 함실아궁이 되돈고래로 진행해야 하는 상황이다. 언어적으로 모든 것을 잘 설명하기는 어려웠지만 함께 하루 이틀 진행하면서 점차 잘 소통할 수 있었다. 그리고 저녁에는 전통구들 특강을 통해서 우리나라 전통문화를 소개하였다. 나름 저녁 강의가 도움이 되어 3일차부터는 재미있게 서로 의견을 나누고 질문도 생기기 시작했다. 함께한 사람들의 직업이 그 나라의 공무원이었기에 그들은 이 문화를 어떻게 받아들이고 자국의 어려운 국민들에게 구들난방시스템을 소개할 수 있을까에 관심이 집중되었다.

이런 저런 어려운 상황을 해결하고 나니 우리나라 전통구들방이 완성이 되었다. 불을 지피고 그 위에 모두 앉아 그동안의 작업 이야기를 했다. 불이 보이지 않는데 방 전체가 훈훈하고 엉덩이가 따뜻한 상황은 그곳 사람들에게는 평생 한 번도 경험하지 못한 일이었다.

창덕궁 구들의 해체와 복원

놀라움의 연속으로 모두 "어메이징" "환타스틱"이라는 단어들을 연발했다.

성공적으로 구들방이 완성되고 나니 함께 작업한 공무원들이 나에게 도움을 요청했다. 한 군데 같이 가 보자고 하는데 그곳은 보건소 건물을 짓고 있는 현장이었다.

다 지어지고 나면 보통의 건물과 마찬가지로 나무 마룻바닥이 깔린다고 하였다. 이곳에 구들이 놓여지면 좋겠다고 한다. 그러면 환자들이 따뜻한 방바닥에서 좀 더 빨리 회복될 수 있을 거라고….

물론 흔쾌히 도와주겠다고 약속을 했다. 그리고 시공을 도와주는 것 뿐만 아니라 될 수 있으면 전통구들학교를 운영해서 많은 사람들이 따뜻한 방에서 지낼 수 있었으면 좋겠다는 뜻을 전달했다. 그래야 문제가 생기면 스스로 해결도 할 것이고 나름대로 지역 실정에 맞게 적용을 할 것이라 생각이 들었다.

그곳에 머문 7일이 한 달처럼 느껴졌다. 우리나라의 전통구들문화를 세상에 알리고 보급하는데 있어서 먼 타국에 사는 우리나라 동포들이 먼저 생각이 났지만, 한편으로는 우리나라의 구들문화가 절실히 필요한 곳이 우선이 될 수 있다는 생각을 했다.

히말라야 해발 3000m의 고지대에서 우리나라 전통구들을 놓으면서 느꼈던 감정은 이제까지 느껴보지 못했던 또 다른 기쁨이자 뿌듯함으로 남아있다.

11 구들의 이름들

●●●
▌구들의 다른 이름들

온돌, 난돌, 항방, 갱, 돌, 온방, 구돌, 오실

▌구들방에 쓰이는 용어와 표현들

개자리(고래개자리/회굴)
함실의 반대편에 위치하며 고래를 통해 온 열기와 연기를 모아 당겨주는 역할을 하는 곳으로 모인 연기를 연도와 연결해 준다. 깊은 도랑의 형태를 갖추고 있으며 폭은 250~400mm이며 깊이는 함실바닥 깊이와 동일하다.

거미줄치기
구들장 사이를 새침을 통해 막고 황토와 흙으로 다시 막아주는 작업이다.

격구들
방이 2개 혹은 3개가 같이 있는 형태로 한쪽 방향에서 불을 피워 2~3개의 방을 덥히는 구조이다. 개자리는 방마다 하나씩 설치하는데 아궁이에서 가장 먼 방의 끝 개자리가 가장 깊고 방마다 조금씩 덜 깊은 개자리를 만들어준다.

구들장
시근담과 고래둑 위에 얹어 방바닥을 평평하게 만들기 위해서 다듬어진 돌을 말한다.

굴뚝
연도를 통해 들어 온 연기를 배출하는 장치이다. 한 아궁이에 하나의 굴뚝을 설치하는 것이 보통이며 굴뚝내부의 지름은 일반적으로 200mm 내외로 한다.

굴뚝 개자리
굴뚝 아래에 깊게 파인 부분을 말한다. 나무를 연료로 사용할 때 목초액이 고이게 되며 연도를 통해 온 연기를 당겨 주는 역할을 한다.

고래
함실에서 나온 열기가 흐르는 길을 말한다.

고래둑

고래를 나누어주는 둑을 말하며 고래둑 위에 구들장이 놓이게 된다. 폭은 대략 200~300mm이고 높이도 200~300mm이다.

굇돌

아랫목의 넓은 구들장을 받치거나 허튼고래에서 구들장을 받치는 돌을 말한다.

굄돌

구들장 아래 위치하여 구들장을 받혀주는 돌을 말한다.

궁궐구들

궁궐에 놓인 구들을 말한다.

되돈고래

불을 피우는 함실 방향으로 개자리에서 연도를 만들어 함실과 연도구멍이 같은 방향에 있는 고래를 말한다. 이런 경우 굴뚝은 함실에 반대편에 있는 것이 아니라 함실의 뒤나 옆으로 있는 경우가 많다.

막고래

고래에 구들장을 받혀줄 굄돌을 구들장 크기에 맞추어 자연스럽게 놓은 구들 형태를 말한다. 따라서 줄고래처럼 고래둑이 형성되지 않고 구들장 아래가 모두 터진 상태이다.

물 미장

황토와 모래를 묽게 반죽하여 부토 위에 얹는 것을 말한다. 두께는 30~50mm 내외이다.

마감미장

물미장이 마르고 나면 도배하기 전에 하는 미장을 말한다. 모래와 황토를 섞어서 만들며 터지는 것을 예방하기 위해 풀이나 해초풀을 섞어 쓰기도 한다.

바람막이

고래의 끝과 고래개자리가 만나는 부분을 일정부분 막아주는 것을 말한다. 바람막이는 고래의 폭과 높이를 줄여 줌으로써 열기가 빨리 고래개자리로 가는 것을 막아준다.

부뚜막 아궁이

난방과 취사를 겸하는 방식으로 부뚜막이 설치되고 아궁이, 아궁이 후렁이, 불목, 불고개 등으로 이루어진 온돌을 말한다.

부넘기

불고개에서 고래로 연결되는 끝부분의 살짝 높게 만든 언덕을 말한다.

불문

아궁이 입구를 막아주는 주물로 된 문을 말한다.

부토

새침 후 올리는 흙을 의미하며 마른 흙이다. 부토는 100~200mm 정도로 한다.

부채고래(선자고래)

고래의 형태가 부채처럼 펼쳐진 모양을 말한다.

봇돌

이맛돌이나 불목돌을 받치기 위해 아궁이 양 옆에 세운 돌을 말한다.

불목

아궁이 후렁이(뒷부분 화덕)와 고래 중간으로 장작 등의 땔감이 연소되어 화기와 연기가 넘어가는 부분이다

사춤돌

새침을 놓을 때 쓰이는 구들장과 구들장 사이의 틈을 메우는 돌을 말한다.

새침

구들장과 구들장 사이를 막기 위해 돌이나 와편 등을 뾰족하게 만들어 틈을 메워 연기가 새는 것을 막는 작업을 의미한다.

시근담
벽체 쪽으로 고막이 부분에 튀어 나온 구들장을 받혀주는 두둑을 말한다. 보통 고래둑과 높이가 같다. 폭은 100~200mm이다.

아궁이
구들에서 연료인 장작 등을 넣는 입구를 말하며 부뚜막아궁이인 경우 가마솥이 걸리는 전면부에 위치하고 함실아궁이는 고막이 선에 위치한다.

아자방
칠불사에 있는 구들방을 말한다. 줄고래 형태의 함실아궁이이다. 방안의 모양이 아(亞)자 모양이다.

알매
황토와 모래를 반죽하여 공 모양으로 만든 것을 말한다. 주로 구들장을 얹을 때 사용한다.

와편
옛날에 구운 기와 파편을 말한다.

온돌
구들이라고도 한다. 바닥을 뜨겁게 덥혀 난방을 하는 것을 말한다. 전통 온돌은 방바닥에 구들장을 깔고 그 밑으로 불을 지펴 그 온기가 방바닥을 덥게 하는 구조를 말한다.

이맛돌
봇돌 위에 걸쳐지는 돌로 아궁이 입구 위를 막아주는 돌을 말한다.

연도
개자리에서 굴뚝까지 연결해주는 통로를 말한다. 연도는 개자리의 아래에 위치하며 중간이나 위에 위치하기도 하고 줄고래 하나가 연도 역할을 하기도 한다. 폭과 크기는 250~300mm이다.

연가
굴뚝 맨 위에 있는 집 모양의 배출구 부분이다. 보통 도자기처럼 구워서 만든다.

이중 구들

구들장 자체를 2단으로 만드는 것을 말하며 함실부분을 함실장과 구들장 사이를 띄워 구들을
놓기도 하는데 이런 경우도 이중구들이라고 한다.

외줄 고래

선사시대나 구들을 처음 놓았을 때는 한 줄로 연기를 내 보내는 구조였다. 이처럼 고래가 하나인
경우를 말한다.

전돌

구운 벽돌을 말하며 옛날 벽돌이라고 보면 된다.

함실아궁이

장작과 같은 연료가 벽체 기준으로 방 안에 있는 경우를 말한다. 그 중 장작이 타는 그 부분을
함실이라고 한다.

함실장

함실의 열기를 직접받는 돌로 함실 위를 덮는 돌을 말한다. 한 장이기도 하고 여러 장으로 덮어
함실을 막기도 한다.

탕방구들

궁궐에서 마른 장작 대신 숯을 탕 속에 넣어 연료로 사용한 것을 말한다.

12 구들의 시작과 끝(미래)

●●●

　　　　　　인류의 역사가 지속될 수 있었던 것은 인간 스스로 원초적 본능을 해결할 수 있었기 때문이다. 추위에서 살아남는 방법을 터득하고 배고픔을 해결할 수 있게 되면서 주거의 형태가 원시적이나마 갖춰지기 시작했을 것이다. 최초의 인류에게 불은 절대적이었고 인류 종족을 보존하기 위해서 없어서는 안 될 최고의 재산이었다.

인간은 창작의 동물이다. 원초적 본능에 충실했던 감각은 차츰 안락함과 편리함을 찾기 시작했을 것이다. 아마도 구들의 시작도 이 시기였을 것이라 생각한다. 오늘날 구들의 목적은 따뜻한 난방이 우선이지만 예전에는 인류를 추위와 배고픔이라는 고통에서 벗어나게 해주는 막중한 역할을 해왔을 것이다. 인류가 불을 다뤄야 하는 절대적 이유이며, 구들이 오늘날까지 발전해 올 수 있는 이유이기도 하다.

그렇다면 구들의 현재는 무엇이며 미래는 무엇이어야 할까?

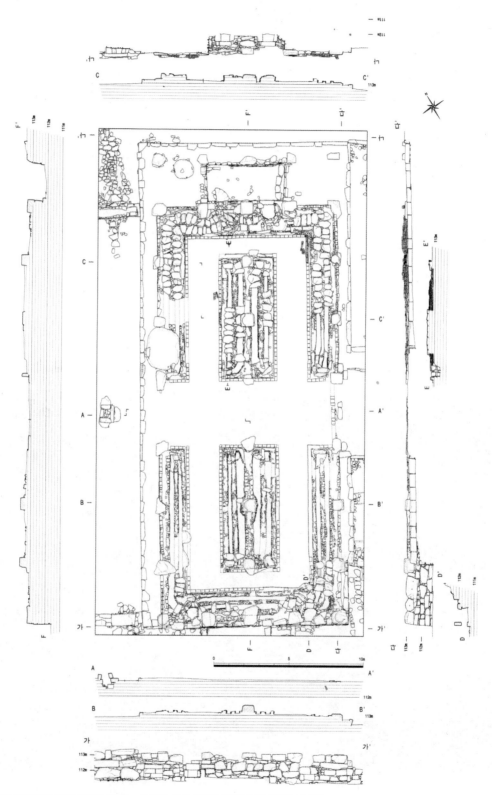

회암사지 서승당지 발굴도이다.(출처 : 회암사 III 5.6단지 발굴조사보고서 2009)

█ 한 장의 구들도면을 통해서 본 과거 구들의 역사

구들은 신석기 유적에서 많이 발견되고 있으며, 수많은 유적과 기록으로 그 역사를 말하고 있다. 예로부터 많은 사람들의 입으로 회자되고 있는 칠불사의 아자방은 2000년의 역사를 가지고 있는 현존하는 최고의 구들 문화유산으로 꼽힌다. 칠불사의 아자방은 현존하면서 아직도 진행형이니 칠불사 아자방만으로도 구들의 과거, 현재, 미래를 다 아우를 수 있다. 2000년의 역사를 가지고 있으면서 과거와 현재를 이어주고 또 미래로 향하는 난방문화가 있다는 사실에 어찌 놀라지 않겠는가.

역사적으로 우리나라 구들은 고려 말부터 퍼지기 시작하여 조선 초에 전국으로 퍼진 것으로 추정된다.

발굴 보고서에 의하면 서승당지 도면에서 표시된 부분이 초석이며 기둥이 서 있던 자리이다. 기둥과 기둥의 간격 즉, 동서로 잇는 초석의 간격은 2.8m이고, 남북으로 잇는 초석의 간격은 4.1m이다. 정면으로 8칸(남북), 측면 4칸(동서)이다. 서승당지는 11.2m×32.8m=367.36m^2의 면적을 가진 거대한

회암사지에서 발견된 서승당지의 유적 사진이다. 회암사는 동국여지승람의 기록 등을 고려해 보면 12세기에 창건된 것으로 보인다. 그리고 지금의 유적처럼 대규모 사찰이 된 것은 고려 말과 조선 초기에 중창된 것으로 보인다.

건물이었다. 예전에 쓰였던 평수로 환산한다면 110평이 넘는 면적이다.

이렇게 큰 건물 가운데 놓인 돌들의 흔적은 모두 구들의 유적이다. 그 모양이 아주 독특하고 남북으로 'E'자 형태로 마주보며 구들이 놓여 있다. 이 돌들이 의미하는 건 100평이나 되는 거대한 면적의 건물에 난방으로 쓰인 것이 구들이었다는 사실이다. 10평도 아니고 100평이다.

고려시대에 100명이 넘는 사람이 한꺼번에 한 방에서 따뜻한 잠을 잘 수 있는 난방시설을 만들었던 것이다. 무슨 이유에서, 그 많은 사람들이 한꺼번에 잠을 자야 했는지, 사소한 궁금증이 생긴다. 현재에서도 한번에 100명이 따뜻하게 자는 방을 만들려면 결코 쉽지 않다. 하지만 우리 민족은 그렇게 구들을 놓고 살아왔다.

우리나라와 반대편에 살고 있는 유럽인들은 벽난로를 이용하여 난방을 해결했다. 벽난로의 굴뚝과 형태가 제대로 완성된 시기는 18세기 전후라고 한다. 역사적으로 우리나라의 난방시스템이 얼마나 훌륭하게 발달했는지는 서승당지 구들유적을 보면 충분히 알 수 있다. 겨울을 따뜻하게 보낼 수 있는 생활환경은 지구상의 어느 나라와도 비교가 안 될 정도로 훌륭하다는 뜻이다.

서승당지 구들 유적은 구들의 역사로서 한 가지 더 재미있는 사실을 말해준다. 현 시대에 와서 침대생활을 많이 하고 있지만 예로부터 우리나라는 방바닥에 앉거나 이불을 깔고 누워 잤다. 도대체 언제부터 어떤 계기로 잠자리 문화가 바뀐 것인지에 대해서 알아볼 필요를 느낀다.

서승당지 유적과 조선 초의 역사 기록을 보자.

먼저 서승당지 구들의 유적을 잘 살펴보면 이 구들은 침상구들이었을 가능성이 매우 높다. 구들돌이 없는 부분은 전돌로 다져 있고 나무가 깔려 있다. 복도였다는 뜻이며, 전체가 모두 구들은 아니었다. 우리나라의 전통가옥에서 구들방의 면적이 생각보다 그렇게 크지 않다는 것을 알 수 있다. 고려시대까지는 전체를 모두 구들로 하기보다 일정부분이 구들이었다는 사실과 조선시대 들어오면서 방 전체가 구들로 놓이게 되었다는 사실은 다양한 문헌을 통해 알 수 있다.

이러한 점은 방안으로 들어 갈 때 신발을 신느냐 아니냐와 연결시켜 생각할 수 있다. 일상 생활에서 가구, 방의 높이, 방과 마루의 역할, 부뚜막 아궁이와 한뎃부엌을 결정하고 창과 문을 결정하는데 중요한 요소일 수 있는 것이다. 신을 신고 다니는 공간과 신발을 벗고 다니는 공간은 확실히 다르기 때문이다. 따라서 역사 속에는 구들은 단순히 불을 때는 장치가 아니라 우리의 삶의 모습을 결정짓는 가장 중요한 변수였음을 알 수 있다.

█ 현재의 구들은

현대를 살아가는 사람들의 생활패턴이 변하고 있다. 구들은 그대로인데 구들을 사용하는 사람들은 급격한 속도로 변하고 있다. 집 전체의 용도 자체가 변하고 있으니 구들의 쓰임새도 많이 달라졌다. 예전에는 한 방에서 모든 생활을 할 수 있었던 반면에 현대는 사람들이 이용하는 집의 공간이 분화되었다. 잠을 자는 공간, 식사를 하는 공간, 텔레비전을 보거나 가족끼리 혹은 손님들과 대화를 나누는 공간, 현관, 보일러실, 다용도실, 그리고 화장실까지. 더군다나 방은 대체로 혼자 쓰는 개인공간이다.

수많은 사람들이 한 곳에 모여 살면서 공간 활용도 면에서는 상당히 효율적으로 변화되고 있다. 주어진 공간에 초고층의 건물을 세움으로써 인구밀도가 밀집되는 현상이다. 따라서 자연스럽게 전통방식의 구들은 사라지고 저온온수의 바닥 난방시스템이 그 자리를 차지하고 있다. 기름, 가스, 전기를 활용한 보일러가 전통구들의 역할을 하고 있다. 앞으로는 태양광과 지열, 그리고 새로운 에너지가 그 역할을 대신할 것이다.

2000년대에 들어서면서 편리함에 익숙해진 도시인들이 점차 탈도시를 꿈꾼다. 구들방 맛을 아는 세대들은 기회만 주어진다면 정감 넘치는 전통구들을 다시 놓고 싶어 한다. 따뜻한 삶의 한 시절을 추억하면서 전원주택을 꿈꾸며 귀향하는 사람들이 점점 늘어나고 있는 추세다. 마음만 잘 먹는다면 왕이 사용했던 궁중구들을 쉽게 소유할 수 있는 시대가 왔다는 것 자체는 분명 반가운 일이다. 어쩌면 수 천 년의 역사를 가진 우리 구들문화가 잊힐 수도 있었건만 요즘처럼 기성세대의 관심으로 그 맥을 잇고 미래사회에까지 연결될 조짐에 어찌 기뻐하지 않겠나.

현대를 살아가는 사람들에게 전통구들은 어떤 의미 이상의 추억이자 삶 자체일 것이다. 사람이 사는 방식에도 많이 변했다. 삼시세끼를 반드시 챙겨 먹지 않고 김치도 매일 매번 먹지 않는다. 밥이 없다고 굶지도 않고 김치가 없다고 밥을 못 먹지도 않는다. 구들이 없다고 옛날처럼 춥지도 않다. 구들은 구들 자체만으로 다르면서 다양한 의미를 안고 조용히 우리의 곁을 지키고 있다.

▌미래에 구들은 어떤 모습일까!

인류는 무서운 속도로 변화하고 있다. 건축 양식과 소재, 살아가는 모습이나 생각하는 정도도 상상할 수 없을 정도로 변화하고 있다. 그럼에도 인간 삶의 원초적인 본능과 관련된 조건들은 변하지 않는 것도 있다. 그것은 바로 집. 내용은 많이 변했고 앞으로도 변할 것이겠지만 집이라는 기능은 영원할 것이다.

미래의 삶이 어떤 면에서는 확실히 편안해지고 다양화 될 것은 틀림없는 일이다. 하지만 문명이 아무리 발달한다 해도 옛 것을 아주 없애지는 않을 것이다. 특히 우리의 정체성과 연결되어 있다면 더욱 그렇다. 그런 면에서 구들은 인류 역사와 함께 할 것이다. 구들은 용도 자체로도 버릴 수 없는 문화유산이지만 말로써 설명하기 어려운 우리 민족의 정서적인 면을 대신하기 때문이다. 아마도 구들은 우리 고유의 전통을 이어가면서 과거와 현재를 잇고 또 미래에도 존재하여, 인류를 위한 단열과 에너지 효율의 극대화로 이어가면서 인류의 역사와 함께 발전할 것이다.

단열 효율의 극대화 부분은 불을 피우는 공간인 아궁이 입구와 고래 그리고 시근담으로 나누어 볼 수 있다. 예전의 구들을 보면 함실아궁이든 부뚜막아궁이든 아궁이 입구가 외부에 바로 노출된 경우를 많이 볼 수 있다. 추운 겨울에 불문이 취약한 경우 외부의 찬 기운이 내부의 열기를 빼앗아 갈 확률이 높다. 따라서 아궁이에서 열기를 빼앗기지 않도록 보완이 강화될 것이다. 지금도 불문 자체가 단열성능을 갖게 하는 많은 제품들이 생산되고 있다.

다음은 시근담 부분이다. 외부영향을 받는 부분이 시근담과 고막이 부분이다. 현대 건축에서의 기초는 대부분 철근콘크리트 구조이다. 두께는 200mm 정도로 이런 구조에서 단열은 매우 취약할 수밖에 없다. 이 또한 보완되어야 할 부분이다. 다음으로 고래이다. 열기는 집안 위로 향하여 모두 올라가 주어야 효과가 극대화 된다. 이러한 부분은 앞으로 더 많은 고민과 연구가 뒷받침되어야 할 것이다.

에너지 효율의 극대화는 함실과 열기(에너지)의 흐름으로 나누어 볼 수 있다. 함실은 에너지효율을 극대화 할 수 있도록 하고, 함실에서 고래로 들어온 열기는 최대한 에너지를 방안에 쏟아내고 남은 연기만을 굴뚝으로 보내도록 하는 연구는 점점 진화될 전망이다. 구들은 지금까지 그래 왔듯이 앞으로도 전통구들의 멋진 모습을 간직한 채로 우리의 일상생활에 밀접하게 자리하여 안락한 삶을 유지하도록 많은 영향을 줄 것이다.

인간은 문명이 발달하면 할수록 자연 친화적인 소재를 찾고 자연을 닮은 삶을 추구하게 된다. 그 중심에 전통구들이 하나의 축으로써 존재할 것이며, 인류는 전통구들과 함께 그 맥을 이어갈 것이다.

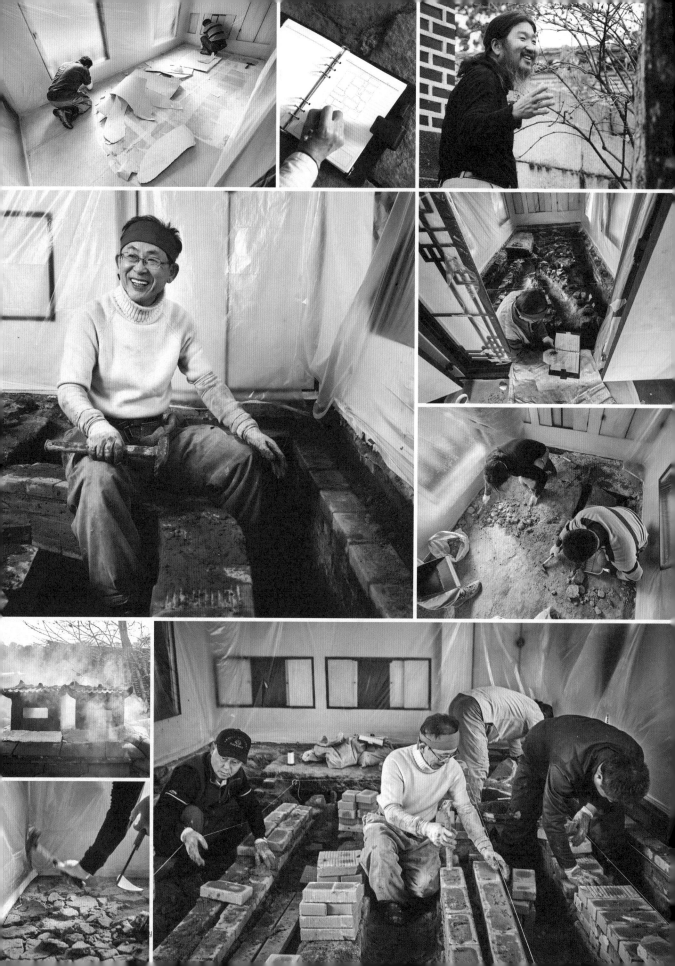

구들 (온돌) 문화재 보수 및 복원

우리나라에서 문화재로서 구들(온돌)의 위치는 무엇인가 !

우리에겐 수많은 다양한 형태의 문화재가 있지만 그 형태를 해체하기 전까지 볼 수 없는 것은 구들밖에 없을 것이다. 구들은 건축물 중 일부분으로 건물의 난방을 해결하는 시스템이다. 우리나라의 문화재급 건축물은 대부분 목조 건축물이다. 이러한 문화재급 건축물에 구들은 건물 전체에 모두 놓여져 있는 경우도 있지만 대부분은 주거하는 방에 놓여져 있다. 이런 구들이 놓여진 문화재급 건축물은 사찰이나 궁궐에 주로 있다.

대부분의 문화재급 건축물이 목구조로 되어 있고 사용이 되지 않는 경우가 많다 보니 자연스럽게 구들은 그 존재의 의미가 약해진 것이 현실이다. 또한 목구조이다 보니 불을 피우는 구들의 특성상 화재에 대한 두려움이 앞서 관리자들에게 어려운 부분으로 남아 있는 것도 현실이다.

이러한 문화재로서의 구들을 바라보는 우리의 시각은 무엇인가

첫 번째는 오래된 난방설비이지만 현재로선 사용할 수 없는 설비라는 시각이다. 문화재라도 현재 사용 중이거나 운영 중인 건물들도 있다. 하지만 대부분의 건물은 언제부터인가 사용되지 않았고, 편한 보일러가 구들장 위에 설치가 된 경우가 많다. 이런 경우는 나무 구하기도 쉽지 않고 보일러가 주는 편리함에 밀려 버린 것이다. 그리고 언제 부터인가 연기 배연이 잘 되지 않고 연기가 새는 현상이 발생하면 더 이상 사용하기 어려운 설비로 인식된다는 점이다. 그렇다고 누구에게 물어보고 수리하자니 딱히 잘 아는 사람이 있는 것도 아니고, 있더라도 일반적인 건축수리처럼 구들보수전문가가 흔하지 않기에 귀찮은 존재로써 현재 사용하기 불편한 설비로 보여지고 있다.

두 번째는 보존가치에 대한 의구심, 왜 보존되어야 하는 당위성에 대한 확신이 없다는 시각이

다. 구들은 문화재로서 보여지는 부분이 너무 적거나 그 효용가치가 사용되어질 때만 느껴질 수 있다는 점으로 인해 이런 생각을 들게 하는 것이다. 구들은 다 만들어지고 건축물의 일부분으로 난방 기능이 발효될 때 가치가 느껴진다. 만들어진 형태도 따로 떼어내어 보거나 만질 수 없고, 만들어지는 재료 또한 특별하다기 보다는 일상 생활의 주변에 있는 자연물인 경우가 대부분이다. 이런 자연물을 특별하게 가공하거나 하는 것이 아니라 전체적으로 어울어지면서 시스템적으로 작용을 하기에 더욱 그러하다.

이런 구들은 수 천년 동안 같은 모습을 하다가 근대에 갑자기 많은 변화를 겪기 시작했다. 당장 앞서 언급한 바와 같이 구들은 건축물의 일부분인데 그 건축물이 변하고 있다.

목구조방식에서 많은 부분이 조적방식이나 철근콘크리트 구조가 적용되고 난방을 필요로 하는 사람과 면적이 늘다보니 구들만으로 그 수요를 감당하지 못하는 부분도 생기게 되었다. 이러한 상황은 구들의 필요성과 활용성을 떨어뜨리는 원인이 되었고 보존되어야 하는 당위성도 약하게 만들고 있다.

가장 많은 전통구들이 놓여져 있는 궁궐을 통해 살펴 보자. 궁궐은 당연히 우리나라를 대표하는 문화재이다. 세계문화유산으로 등재되어 있는 창덕궁을 보면 많은 구들이 아직도 사용가능하기도 하고 일부분은 근대에 들어와 보일러가 놓이면서 그 모습이 변해 있기도 하다.

또한 궁궐의 특성상 구들의 활용도가 떨어지다 보니 세월의 무게로 조금씩 보수가 필요한 부분이 발생하고 있고 활용도가 떨어지는 구들은 그 만큼 보존에 대한 관심도도 떨어뜨리는 결과를 가져온다. 이런 부분이 틀렸다고 말하는 것이 아니다. 시간이 흐르면서 환경이 변하고 그 효용가치와 구들시스템을 바라보는 시각도 변하게 된 것이다.

세 번째는 문화재급 구들에 대한 보편적인 정보가 많지 않고, 정보에 대한 접근성이 떨어진다는 것이다.

무엇이든 이어가고 발전하려면 많이 알려지고 많은 사람들에게 사용되어져야 한다. 근래의 구들은 이러한 면에서 조금은 부족한 면이 있었다고 보여진다. 이미 많은 부분이 저온온수 보일러 시스템에 그 위치를 빼앗기고 그나마 남아 있는 전통구들 관련 인력과 노하우는 점차 사라져 가고 있는 것이 현실이기 때문이다. 30~40년 전만해도 많은 사람들이 난방설비로 당연히 구들을 이용했으므로 만들 수 있는 인력도 많았고 구들에 대한 정보도 많았다. 하지만 어느 순간 사용이 줄자 구들에 대한 정보, 공유되는 사람, 시간이 줄고 이젠 추억 속의 이야기가 되었다. 이러한 현상은 문화재 속의 구들을 어떻게 해야 하지 ? 하는 의문의 부분으로 남기 쉽다. 문화재로써 사용되어질 상황이 별로 없다고 판단되니 그 가치가 떨어지고 떨어진 가치에는 당연히 비용과 댓가의 지불은 뒤로 밀리게 된다. 이런 악순환이 반복되는 과정에서 정보부족에 빠지게 되고 잘 모르는 상황으로 대충 수리해 버리는 결과를 가져오게 된다. 문화재를 관리하는 사람도 무엇이 정확한 것인지 모르는 상황에서 수리와 복원이 어떻게 이루어져야 하는지 정확한 지침을 가질 수 없고 수리와 복원이 제대로 되는지 관리할 수 없는 것이다. 이런 상황은 널리 보급되고 알려지는데 큰 걸림돌이 되고 일반인의 전통구들문화에 대한 접근성을 가로 막고 있는 것이다.

가장 고급스러운 『궁궐구들』을 바라보는 시각은 무엇인가 !

궁궐은 문화재로써 잘 보존하고 후대에 남겨주어야 하는 유산임은 분명하다. 또한 우리의 문화를 다른 나라에 후대에 알릴 수 있는 가장 좋은 것이도 하다. 무엇이든 가만히 진공상태로 보존해야 하는 것도 있지만 비바람과 자연환경에 그대로 노출된 상태로 있어야 되는 것도 있다. 궁궐의 전각들은 모두 노출된 상태로 많은 관람객을 맞이 한다. 이런 점에서 궁궐구들은 궁궐 전체를 살아 숨쉬게 하는 원동력이 될 수 있다.

지금까지 바라보는 궁궐은 목구조 건물이고 사람이 주거하지 않기에 불을 피워서는 안된다는 관점과 누구도 수리하기 어려운 궁궐 문화재재라는 선입관에서 벗어나야 한다. 조선의 왕이 사용하던 시스템이라면 누구나 부러워할 만한 시스템인 것은 분명하다. 가장 고급스러운 궁궐 구들 양식을 이제는 우리 모두가 사용할 수 있는 시점이다. 그래서 궁궐 구들을 바라보는 시각도 우리 모두가 사용할 수 있는 좋은 시스템 정보를 제공하는 문화재라는 관점으로 보여져야 한다.

사용 가능한 따뜻한 구들방에서 전통문화를 알리는 세미나와 각종 행사를 시행한다면 훌륭한 문화 알리미 역할을 할 수 있을 것이다. 모든 건물을 다 그렇지는 않지만 집은 사용되어지고 관리되어져야 그 사용자와 함께 인생을 이야기 하게 되는 것이다. 일부분이라도 사용되고 활용되어 집의 가치를 알릴 수 있는 프로그램이 있어야 한다.

궁궐 구들방에서 조선의 아름다운 Love story 를 느껴보자 !

어느 나라이건 그 나라를 대표하는 상징적인 것들이 있다. 상징적인 것들은 대부분 의식주와 자연환경이 주를 이룬다. 눈에 보이지 않는 정신적인 것과 삶을 보고 느끼기에는 어려움이 많다. 그도 그럴 것이 눈에 보이지 않는 정신적인 것과 삶은 함께 살아보면서 자연스럽게 알아가는 것이며 무언가로 표현되기 보다는 " 아, 이런 느낌이구나 !" 하고 마음으로 읽혀져야 하는 것이기 때문이다.

다른 나라와 마찬가지로 우리나라도 일반적인 것은 크게 다르지 않다.

하지만 전 세계 어느 나라에 가도 없는 것이 있다. 앉으면 엉덩이가 따뜻한 방이 있는가!

전기를 사용하지 않고 눈에 보이는 불이 없음에도 따뜻함을 하루 종일 느낄 수 있는 그런 방이 있는가 말이다. 그것도 수백년 전의 건물이고 지금도 사용이 가능한 시스템을 가진 건축물!

이런 방에서 가장 고급스러운 동양의 차(茶) 문화와 우리 민족의 역사를 돌아볼 수 있다면 그 얼마나 좋은 문화 상품인가!

그 역사 이야기 중 하나로 수강재와 낙선재를 돌아보며 조선 왕의 아름다운 사랑이야기를 듣고 느낄 수 있다면…

우리나라를 찾는 많은 해외 관광객과 자국의 이미지를 홍보하고 우리와 교류를 위해 와 있는 수많은 외국 대사관을 상대로 세상에서 가장 고급스러운 궁궐 전통구들방 체험프로그램을 기획할 때가 온 것이다.

2018년 1월에

bibliography
전통 온돌의 이론과 실제, 구들개론, 2013, 오홍식
조선의 참 궁궐, 창덕궁, 2012, 최종덕
문화재수리시방서, 2014, 문화재청
궁궐, 사찰구들 수리를 통해 본 전통구들, 2017, 통나무흙구들
회암사 Ⅲ 5·6단지 발굴조사보고서, 2009, 경기도박물관

창덕궁 구들의 해체와 복원

지은이 소개

김 동 하

서울에서 태어나 2001년 가족들과 함께
강원도 평창으로 귀농귀촌하였다.
그곳에서 지인들의 도움을 받아
나무와 흙으로 살림집과 전통구들사랑채를 마련한 후
생태건축가로 활동하기 시작했다.
2009년부터 2016년까지 8년간 농림축산식품부
귀농귀촌교육 "내손으로 만드는 황토구들방"
교육 프로그램을 개발 진행해왔으며,
2012년부터 문화재청 산하
(사)한국전통구들협회 이사로 활동하고 있다.
문화재 수리기능자 온돌공으로
현재 우리나라 나무와 흙으로 만드는 집짓기와
전통구들(궁궐구들)교육을 하는
『통나무흙구들학교』를 운영하고 있다.